ANQUETIL
TOUT SEUL

PAUL FOURNEL

ANQUETIL TOUT SEUL

récit

ÉDITIONS DU SEUIL
25, bd Romain-Rolland, Paris XIVe

ISBN 978-2-02-103672-5

© Éditions du Seuil, juin 2012

www.seuil.com

Geldermans me raconta qu'Anquetil, dans les côtes, glissait toujours son bidon dans la poche arrière de son maillot pour alléger son vélo, je décidai d'y regarder de plus près. Je pus constater que, sur toutes les photos d'Anquetil en montagne, son bidon se trouvait bien dans son porte-bidon. Mais c'était une illusion. C'est l'histoire de Geldermans qui disait vrai. C'est celle qui parle au cœur du cycliste. Ce sont les photos qui mentent.

Tim Krabbé, *The Rider*

Le surmenage cycliste est une notion vaine.

Antoine Blondin

Un réacteur, une machine IBM et un alambic.

Raphaël Geminiani, *Les Années Anquetil*

Anquetil jouissait de la bienveillance des vents, son nez aigu et son visage de fine lame lui ouvraient la route et son corps tout entier se coulait derrière, fendant les mistrals, pénétrant les bises d'hiver et les autans d'été. On le sentait diaphane, presque malade, sûrement fluet, la moitié d'un Van Looy, le tiers d'un Altig. Son profil était de médaille et, à le voir si gracieux, jamais on n'aurait imaginé que son buste était un baril qui cachait la poudre du plus puissant moteur, que ses jambes et ses reins ployés étaient de latex.

Son coup de pédale était un mensonge. Il disait la facilité et la grâce, il disait l'envol et la danse dans un sport de bûcherons, d'écraseurs de pédales, de bourreaux de travail, de masculin pluriel. Il pédalait blond, la cheville souple, il pédalait sur pointes, le dos courbé, les bras à angle droit, le visage tendu vers l'avant. Jamais homme ne fut mieux taillé que lui pour aller sur un vélo, jamais cet attelage homme-machine ne fut plus beau. Il était fait pour être vu seul sur la route, découpé contre le ciel bleu ; rien en lui n'évoquait le peloton, la masse et la force en union, il était la beauté cycliste seule. « Longtemps je l'ai regardé comme un sorcier qui a trouvé le Grand Secret », disait de lui Cyrille Guimard. Il avait troqué, dès son premier tour de pédale, la légendaire rudesse des « forçats de la route » contre une forme de violence inédite, quelque chose d'élégant et de secrètement brutal dont ses adversaires allaient avoir à souffrir sans pouvoir l'imiter. Il faut ajouter à cela qu'à l'effort Anquetil ne grimace pas, ne montre pas les dents, ne dodeline pas de la tête. Il est difficile à lire. Simplement, il pâlit, son visage se creuse imperceptiblement, ses yeux virent au gris clair. Au pire de l'épreuve, lorsqu'il roule à 50 à l'heure, on le croirait vaincu par la tuberculose.

J'avais 10 ans, j'étais petit, brun et rond, il était grand, blond et mince et je voulais être lui. Je voulais son vélo, son allure, sa nonchalance, son élégance. J'avais trouvé en même temps mon modèle et mon contraire. Les deux étaient irréductibles, c'est dire si j'avais un bout de chemin à faire.

Pour Anquetil, l'essentiel se joue dans la solitude. Il n'aime pas la course en masse, il n'aime pas la faire belle. Ses adversaires sont à battre ; ils ne sont ni à connaître ni bons à jouer avec. Ses équipiers sont au travail pour le faire gagner et gagner leur vie. Rien d'autre. Il y a les choses qu'il fait seul et les choses que lui seul fait et, dans les deux cas, la solitude est son royaume. Cette solitude n'est pas seulement une manière d'envisager la pratique cycliste, elle est un mode de vie global, une manière d'être unique, la marque profonde de son âme, qu'elle soit vendue à Dieu ou au diable.

Contre soi-même

Anquetil se tient nu, en équilibre inquiet au-dessus de la baignoire qui se remplit d'eau bouillante. La vapeur monte, lui saisit le sexe, les fesses, les jambes : précieux mollets, cuisses d'or. La tête reçoit les effluves, elle fait thermomètre. Anquetil regarde ses pieds sans les voir. Il absorbe la chaleur, il en gave ses muscles. Il ne pense pas à la course dont il va prendre le départ, il n'en répète pas mentalement les virages et le profil. Le tracé est roulé en boule dans son ventre, il le sent dur, compact, douloureux, noué, et il sait que tout à l'heure, juste après le départ, il se défroissera et se déroulera au centimètre comme la plus rigoureuse des cartes routières. Il a peur. La vapeur gonfle ses quadriceps et amollit ses tourments. Il a accompli tous les rituels un à un : il s'est fait couper les cheveux, soignés sur le dessus et bien dégagés autour des oreilles, comme un obus cranté ; il s'est rendu chez son magnétiseur qui lui a imposé les mains sur la gorge qu'il a fragile et sur toutes les parties du corps où il va avoir mal au-delà du mal ; le vendredi, il a parcouru les

120 kilomètres du rite à la vitesse de la moto de Boucher, son vieil entraîneur, niché dans l'abri, au maximum de ses forces ; le samedi, il a pioché mètre par mètre le parcours de la course, il l'a appris sur la carte, il l'a reconnu ; et il se chauffe au-dessus de la baignoire.

Sur la chaise à côté du lavabo, le cuissard noir, les chaussettes blanches, le maillot, neufs, les chaussures de cuir noir en dessous, cirées, déjà portées pour éviter les mauvaises surprises, les cales-pédales soigneusement clouées sous la semelle. Il ne prendra pas de casquette.

ANQUETIL : J'épouse la route en son milieu, en son sommet, je ne coupe aucun de ses virages, ce sont autant de petites descentes et de petites montées que j'économise. J'abandonne ce trajet aux gagne-petit, aux avares. Je retrace le dessin de l'ingénieur dans son trait pur, je choisis la partie de la chaussée que les voitures ont lissée, abandonnant les rives aux silex, aux éclats de verre, à la poussière. La route glisse sous mon ventre. Je l'ai apprise sur le bout des roues. Je sais qu'après cette maison elle tournera à gauche et commencera à monter, je sais que ce bouquet d'arbres sur le bas-côté me protégera un instant du vent. Elle est à moi dans toute sa largeur et j'y trace le plus fin chemin possible. Les plus étroits boyaux sont gonflés à dix kilos et je vole sur mon chemin d'air.

J'aime les belles routes à grain fin, larges, au beau dessin, celles où l'on peut donner toute la puissance, les grandes courbes planes, les ondulations douces, les côtes où l'on peut installer puis bâtir son effort sans perdre de vitesse, Picardie, Châteaufort, les longs plateaux dans les champs de blé de Chevreuse que le vent coiffe. Baisser encore le buste, lever à peine les yeux pour deviner l'horizon plus que pour le voir, ouvrir l'air avec l'arête du nez. 52×15, 52×14, 52×13. La route glisse sous mon ventre comme un ruban noir interminable. J'habite la route. Mes maisons, mes châteaux sont des lits de passage.

Le vent est une matière dure dans quoi je m'enfonce, le dos rond, le nez dans l'axe du guidon, les bras collés au corps. Un œuf immobile avec des bielles. Même dans les moments les plus difficiles, où la crispation de tout le corps devient intolérable, je m'applique à ne pas modifier d'un pouce cette posture. Mon dos hurle et je tire encore plus fort pour remonter mes pédales. Lever simplement un instant la tête pour soulager ma nuque me coûterait une poignée de secondes. Dans toute position, rien n'est plus cher que le désordre. Les skieurs me l'ont appris.

À tous les journalistes je dis et je répète mon secret : dans une épreuve contre la montre il faut partir à fond, finir à fond et, entre les deux, prendre un instant de souffle, une pincée de repos, quelques kilomètres où la pression baisse et où les forces se reconstruisent avant l'accélération terminale. Bien entendu, je n'en fais rien, mais je répète à qui veut l'entendre que je le fais. Mes adversaires finissent tous par essayer. « Peut-être a-t-il raison. Peut-être est-ce là le secret de sa force. » Ils lèvent la pédale un instant et c'est toujours autant de gagné pour moi. Pendant qu'ils ralentissent, je fonce du début à la fin. Je suis une machine, un robot en fuite. Je monte à l'assaut.

J'ai des bras-fourche, j'ai des cuisses-bielles. Je suis libre.

J'ai mal. La nuque, les épaules, les reins, et puis l'enfer des fesses et des cuisses. Il faut résister à la brûlure, aux nœuds, à la morsure que chaque tour de pédale réinvente, détecter le point où la crampe paralysante risque de se déclencher. Résister au plomb que chaque quart d'heure de course ajoute dans les muscles. Garder l'esprit clair pour être sûr que le mouvement est toujours bien complet, pousser, tirer, remonter, écraser, sans jamais oublier de faire le rond le plus rond. Faire le vrai coup de pédale, remonter la cheville. Entraîner le plus grand braquet possible, le plus vite possible, et tenir. Ne pas écouter le corps et la tête qui s'unissent pour dire qu'il faut que cela cesse immédiatement. Pédaler dans un monde de peine dont seul j'ai le secret et me persuader que, si je souffre tant, il n'est pas possible que les autres tiennent le coup.

J'ai fait des réserves de douleur. À l'entraînement, derrière le derny de Boucher, derrière la Mercedes de Janine, ou même devant, lorsqu'elle me pousse. À 60 à l'heure, je vais plus vite que la course, plus vite que moi. Je m'entraîne en douleur. Mes entraîneurs n'ont pas le droit de ralentir, ils doivent me tirer dans des endroits de souffrance que je suis seul à connaître. Même si je les supplie, ils ne doivent pas. Serrer les dents, tenir, ne jamais mettre les mains dans le dos. Le jour de la course, lorsque je me retrouve livré à moi-même et que je souffre comme un chien, je sais qu'au fond de moi je connais des douleurs plus terribles encore. Cela me donne une marge minuscule qui me permet de me faire plus mal que les autres coureurs. Plus la course est dure, plus j'éprouve la douleur des autres, et elle calme la mienne.

Derrière moi, sur le pare-chocs de l'Hotchkiss bordeaux ou de la 203 blanche, mon nom est écrit en gros pour que le public me reconnaisse. En bâtons noirs sur fond blanc : ANQUETIL. Mon nom me poursuit et me pousse. Je suis à mes trousses. Je me fuis.

Loin, au bout de la ligne droite, la voiture de devant a fait un écart et j'ai vu Poulidor parti 3 minutes devant moi, j'ai entrevu son maillot violet de l'équipe Mercier. Mon regard s'est planté dans son dos comme un harpon et maintenant je le tiens. Il va me tirer par l'élastique qui vient de se tendre entre nous. Je sais que je vais le rattraper. Il est parti 3 minutes avant moi et il est là, déjà, à ma portée. La route tourne à cet endroit, le virage me le dérobe, sa voiture suiveuse me le cache mais je ne le lâche plus. Il va m'attirer à lui. C'est le moment. Pendant les quelques minutes qui viennent je ne me poserai plus de questions. Je suis dans l'aspirateur. J'ai déjà gagné 1 bon kilomètre-heure à la seule idée de le rejoindre. Bientôt 2. Au prochain bout droit, mes yeux seront plantés dans ses épaules violettes et il me tirera encore davantage en avant. Pour profiter à fond de sa force, mon accélération doit être progressive. Je dois résister au désir de me ruer, je veux l'avaler dans mon souffle. Je lui laisse un côté de la chaussée, je vais passer sur sa gauche, à bloc, sans le regarder, les yeux collés à la route, sans bouger d'un millimètre sur la selle. Ma vitesse le laissera sans espoir. Il va forcément tourner la tête vers la gauche, jeter un regard inquiet. Il est mort. « Déjà 3 minutes de perdues », se dira-t-il. Rien ne doit bouger en moi que mes jambes. Il ne compte pas. Il sentira juste le souffle du vent. Mon vent. Je ne tournerai pas la tête. Je ne dois pas attraper son regard. Il n'existe pas. Seule la route existe, que je reprends en son beau milieu. Je le passe. À fond.

Il est derrière. Il m'a tiré, il faut maintenant qu'il me pousse. Je dois encore utiliser sa force. Jouer à me faire peur : imaginer qu'il s'accroche, qu'il va revenir, me souvenir d'Albert Bouvet qui m'a résisté un moment dans la côte de Bullion, appuyer un peu plus encore et puis sentir l'élastique qui se brise enfin et imaginer Poulidor s'enfonçant dans les profondeurs de la route, seul, vidé de lui-même. Et puis ne plus penser maintenant qu'au coureur qui est parti 6 minutes devant et que mes yeux cherchent déjà au bout de la ligne droite.

La scène est pendant une course contre la montre entre La Tour-du-Pin et Lyon (62 kilomètres) : Raymond Poulidor, parti 3 minutes avant Jacques Anquetil, est sur le point de se faire rejoindre. Antonin Magne, son entraîneur, se porte à sa hauteur en dépit du règlement et, au lieu de le houspiller, lui dit : « Garez-vous, Raymond, et regardez la Caravelle qui passe. » Et les deux hommes regardent passer la Caravelle. « Je ne le voyais pas pédaler, il glissait », confirme Poulidor.

La Caravelle a traversé mon enfance cycliste dans une mystérieuse majesté. Trop jeune pour comprendre, j'étais bien assez vieux pour admirer. Je dévorais des yeux ce champion avec ses allures d'étoile sur pointes et je faisais d'inlassables tours de la maison en pédalant comme un forcené avec mes jambes grassouillettes, les pieds en canard, rêvant de Grand Prix des Nations. Je m'efforçais, moi aussi, à la position parfaite, à la courbure idéale du dos et de la nuque, rouge vif et tétanisé. J'y passais mes étés.

Mon cycliste de père et mon fabricant de vélos d'oncle m'avaient combiné une bécane idéale qui répondait parfaitement aux exigences doubles du rêve et de l'apprentissage. Elle avait toutes les apparences du vélo de course et toutes les prudences du vélo-école (façon première année). Par-dessus tout, et là, c'est moi qui l'avais exigé, elle était verte. Je me souviens encore de mon bonheur lorsque je la découvris au fond de l'atelier sombre, propre comme un sou neuf, rutilante dans les étincelles de la soudure. Verte, comme celle d'Anquetil. Cela après de longues semaines d'impatience, car il fallait en ce temps-là, du côté de Saint-Étienne, savoir attendre que le vélo se fasse sur mesure. Au fil des jours, j'étais allé d'abord voir le cadre brut, juste brasé, puis j'avais vu les pièces détachées, j'avais trépigné pendant le temps de l'émaillage et du montage, attendu, attendu... et il était enfin là, mon vélo. On allait voir ce qu'on allait voir. Je me mis à vivre contre la montre, battant mes propres records sur les chemins alentour de notre maison, dans la Haute-Loire.

J'accomplissais le tour complet de la baraque en « 1 ou 2 minutes ». Il est vrai que ma montre n'avait pas de trotteuse et qu'il m'arrivait de gaspiller quelques précieuses secondes lorsque je devais mettre pied à terre pour relever un temps partiel à mi-tour... mais mon énergie était telle que ces imprécisions ne mettaient jamais en péril ma domination absolue sur le Grand Prix des Nations. Bientôt je pris la route et mes rêves prirent la dimension d'un bien plus vaste univers de chemins et de routes.

Et nous vîmes Anquetil. Mon père était un admirateur responsable qui décidait volontiers de traverser un bout de France pour aller voir le Grand Jacques, la seule condition étant de s'y rendre à vélo, pour mieux comprendre et pour partager, si peu que ce soit, avec lui l'effort cycliste. J'ai croisé Anquetil quatre fois, « pour de vrai », dans mon enfance et mon adolescence, mais il a habité mes rêves de chaque jour... Mon admiration était une admiration claire d'enfant cycliste, je le préférais à Poulidor, et cela me servait d'analyse. Je me comportais en cela comme la majorité des Français de l'époque, qui choisissaient un camp ou l'autre – et surtout celui de Poulidor.

Plus tard, quand d'autres champions sont venus, quand d'autres manières de gagner sont apparues, j'ai commencé à me poser des questions. Comment un champion comme Anquetil avait-il été possible ? Comment un homme pareil pouvait-il avoir été ce terrible coureur ? Lui, qui m'avait été évident, me devint indéchiffrable, tant il s'était montré différent de tous les champions que je découvrais. Anquetil devint une énigme, que longtemps longtemps après je tente de déchiffrer, à la recherche de questions plus que de réponses, persuadé que cet inimitable modèle porte bien en lui tous les caractères et toutes les contradictions qui font qu'un champion est radicalement différent des autres hommes.

Parmi les champions, certains ont l'apparence de machines simples : ils aiment leur sport, puis ils aiment la victoire, ensuite l'argent qui vient avec, la gloire, la notoriété, le confort, toutes choses magnifiquement et clairement compréhensibles. Et puis certains autres semblent être des mécaniques compliquées, animées de forces contradictoires, d'énergies négatives qu'ils doivent dompter, canaliser sinon maîtriser pour les transformer en bouquets. Ils font contre eux-mêmes acte de mauvaise volonté, ils refusent l'évidence de leur force, ce qui, paradoxalement, les entraîne encore au-delà du point suprême où ils comptaient aller. Parmi eux, Anquetil est sans doute le plus abouti et le plus complexe. Celui qui dans un sport de groupe a su toujours rester le grand modèle du singulier.

Les organisateurs du Grand Prix de Lugano, superbe épreuve contre la montre dans le nord de l'Italie, étaient heureux qu'Anquetil honore leur course de sa présence. Si l'on en croit les secrets qui fabriquent les légendes, ils étaient moins enchantés, en revanche, qu'il l'honore aussi de sa puissance. Il avait gagné six fois déjà et rien ne laissait penser qu'il ne gagnerait pas cette fois encore. Ils décidèrent donc de lui demander de ne pas se présenter au départ. La réputation de leur épreuve risquait d'en souffrir. Le public italien avait besoin de variété et, si possible, d'un vainqueur bien de chez lui. Anquetil comprit fort bien leur problème et, comme ils lui payèrent intégralement sa prime d'engagement pour qu'il ne se présente pas au départ, il accepta sans amertume.

Quelques mois plus tard, dit la rumeur, les organisateurs eurent un remords : Anquetil multipliait les éclats et il paraissait difficile de ne pas le laisser défendre son titre face à leur précieux public. Moyennant un second cachet, Anquetil accepta de revenir sur la décision qui lui avait été imposée. Il promit d'être au départ. L'organisateur, au bout du fil, remercia et reprit son souffle. Le moment délicat pour lui était arrivé.

« Nous sommes très heureux de vous avoir au départ, cher Jacques, très honorés, mais vous connaissez les tifosi italiens, ils ont le sang chaud et ils rêvent de voir gagner un de leurs compatriotes... Peut-être pourriez-vous... ?

– Vous voulez que je perde un contre-la-montre ?

– "Perdre" est un grand mot, mais peut-être ne pas déployer toute l'étendue de votre immense talent...

– Perdre.

– Être battu par aussi fort que soi n'est pas vraiment perdre.

– Aussi fort que moi ?... Combien ?

– Bien entendu, nous serons heureux de vous verser un cachet supplémentaire.

– Cela peut s'imaginer. La seule chose que je vous

demande est de me payer au départ, parce que je veux m'esquiver à la fin et ne pas avoir à parler aux journalistes. Je tiens à ma réputation. »

Au départ du Grand Prix, il fait beau. Le paysage du lac sous le soleil est magnifique et Anquetil sait que, pour une fois, il pourra presque en profiter. Il se prépare et tire ses chaussettes blanches immaculées sur ses mollets bronzés. Janine, sa femme, à quelques pas de là, discute avec Ercole Baldini. Elle aime Baldini, qui est un champion de classe et un homme charmant. Seul Anquetil peut le battre dans une telle course et c'est donc lui le futur vainqueur du Grand Prix de Lugano. Anquetil le respecte parce qu'il est, comme lui, un grand spécialiste de l'effort solitaire, incontestablement le meilleur Italien au contre-la-montre. Il se sent d'humeur joueuse, allégé du poids de la course et du devoir de gagner, légèrement alourdi par un bon gueuleton. Il s'approche de Baldini.

« Dis-moi, Ercole, es-tu capable de tenir ta langue et de ne rien dire aux organisateurs ?

– Quelle question !

– Si tu me donnes ton cachet, je te laisse gagner.

– Tu en as marre ? Et ça te fait rire ! C'est d'accord, bien sûr, et je te remercie. »

Anquetil toucha ainsi sa quatrième prime d'engagement pour une course qu'il avait promis de perdre. Comme il faisait beau, que la route était belle et le prix au vainqueur confortable, il gagna. Ce que Baldini comprit parfaitement parce qu'il connaissait la mécanique des champions – il en était un, pas très en forme, sans doute, ce jour-là, mais souriant. La course est également un jeu et il faut être très fort pour réussir d'aussi belles farces.

ANQUETIL : J'ai faim. Pour être bon sur un vélo, il faut être bon à table et joyeux dans la vie. Je mangerai des huîtres et de la blanquette avec une bouteille de gros-plant. Il fait soleil, le Tour du Var touche à son terme, la route est belle. Il est 8 heures du matin, le patron de l'hôtel Mirabelle prend la commande, stupéfait, et obtempère sans broncher. Il va se mettre aux fourneaux. Il n'a pas une seconde à perdre, il sait que je dois prendre le départ dans moins de deux heures. Mes équipiers et mes adversaires mâchouillent un croissant en dormant encore. Antonin Magne, le directeur sportif de Poulidor qui est dans le même hôtel, me tourne autour. Je suis son mystère préféré. Il est un peu ridicule avec son éternelle blouse grise et son béret basque, quelque chose entre l'instituteur des champs et l'horloger des beaux quartiers. On le dit bourré de vieille sagesse cycliste, il connaît le secret des steaks grillés et des carottes bouillies, le secret des équipiers qu'on lance en avant dans les étapes de montagne pour servir, plus tard, d'appui à leur leader. Il sait tout du métier et je l'énerve au plus haut point. Il ne supporte pas mes huîtres à 8 heures du matin, il exècre ma blanquette. Il n'y tient plus, il faut qu'il me donne la leçon en public, et le voilà qui s'écrie, indigné, à la cantonade en me montrant du doigt : « Tout Anquetil qu'il est, ne vous étonnez pas s'il est victime de crampes ! » J'aurais aimé qu'il vienne s'asseoir en face de moi et qu'il me le dise

24

à moi, rien qu'à moi, droit dans la figure. Il m'exaspère avec ses manières de vieux prof. Je déteste qu'on me chatouille quand je mange ; d'autant que le vin est frais et que la blanquette est bonne et que c'est un bonheur de saucer son pain dans la sauce grasse. Je n'ai même plus de temps pour un dessert. Il faut aller signer la feuille de route et travailler entre Sainte-Maxime et Saint-Tropez, entre les vacances et les vacances en quelque sorte. Je vais me calmer et, puisqu'il faut faire du vélo, autant se calmer en pédalant. On ne traînera pas en route aujourd'hui, c'est promis. Je vais ouvrir la fabrique de crampes puisqu'il doit y avoir des crampes. Je vais leur fabriquer 120 bornes d'enfer dans l'arrière-pays à la santé de M. Magne. Et au bout, c'est moi qui rafle le bouquet, simplement pour leur prouver que la vieille sagesse cycliste s'invente à neuf chaque matin. Dans la sauce.

Septembre 1953. À l'arrivée de son fameux premier Grand Prix des Nations, qui fait sa gloire à l'âge de 19 ans, Anquetil n'a de cesse de trouver Roger Creton, il y a urgence. Il faut se réconcilier tout de suite, retrouver le petit coureur rouennais, le rival de la semaine dernière. Il faut le retrouver parce qu'il n'est plus un rival, précisément, le monde vient de changer du tout au tout en une seule course. Anquetil est soudain devenu immense et les amis du pays doivent être des amis puisque les adversaires viennent désormais de partout. Creton, où est Creton ? Voilà le premier souci du nouveau crack. Il vient de faire la preuve du plus grand talent possible : un champion est né casqué botté, enjambant l'apprentissage, sautant les années de formation et les courses de préparation... et il cherche Creton, l'obscur petit coureur normand avec lequel il s'est bêtement fâché. Voilà Creton, faisons la paix. Trop heureux, Creton, plus fâché du tout, trop heureux : il est maintenant l'ami d'un vrai grand champion, il est lyrique : « Désormais, dit-il, ton nom brille au firmament du cyclisme. » Il s'y connaît, Creton.

Un matin de soleil, je m'entraîne sur la petite route juste devant chez moi, à la campagne. Juché sur mon vélo vert, Anquetil perfectionne sa position de contre-la-montre. Son idée est de réduire ma surface frontale au maximum pour obtenir une pénétration dans l'air parfaite. Il baisse la tête, la rentre dans les épaules et appuie sur mes pédales. Il accélère. Pour être bien sûr que mon crâne ne se relève pas, il fixe ses yeux sur sa roue avant. La route défile. Sa sensation de vitesse est telle qu'il regrette de ne pas avoir de cale-pieds qui lui permettraient de tirer sur les pédales en remontant la jambe et de gagner ainsi quelques kilomètres-heure supplémentaires. Il réfléchit au moyen de respirer mieux malgré son buste cassé et son ventre boudiné lorsqu'il est brutalement jeté à terre. Sa course s'arrête sec sur le gravillon de la chaussée, le sang chaud coule sur son visage et le long de sa jambe, il se trouve empêtré entre son cadre, ses pédales et des cageots de légumes renversés. Une grosse dame en noir est assise auprès de lui sur la route et se frotte le derrière. Son vélo à elle est dans le fossé, le guidon tordu, son lourd chargement éparpillé sur la chaussée. « Qu'est-ce que tu fais à rouler à gauche sans rien regarder, petit ? » me demande-t-elle sans douceur. Anquetil en sera quitte pour quelques points de suture et quelques plates excuses. Mais aujourd'hui encore personne ne sait qui a lâché cette maraîchère sur sa route d'entraînement. Des organisateurs indélicats ? Antonin Magne ? Le mystère reste entier.

Pour chaque champion il existe forcément l'histoire de l'adolescent imberbe, perché sur une improbable bicyclette, qui vient damer le pion, dans les bosses, à ses aînés bien équipés, annonçant les futures victoires. Dans le cas d'Anquetil, les choses ne se sont pas passées tout à fait de la sorte : à 19 ans, alors qu'il n'est pas encore un coureur professionnel, il prend part à ce fameux Grand Prix des Nations qui est la course contre la montre la plus longue et la plus relevée de l'année et, sur les 140 kilomètres en solitaire, il bat tout le monde de plus de 16 minutes, pulvérise le record du grand Hugo Koblet, passant, sans aucun apprentissage, à 39,630 km/h de moyenne, de l'état d'enfant à l'état de star (ce qui laissera des traces). Anquetil est un coup de massue dans l'histoire du cyclisme.

Aussitôt les doutes s'installent. Le gamin est beau en machine, c'est indéniable, mais il est fluet, vaguement transparent. Il ne respire ni la santé ni la puissance. « Anquetil, cycliste indépendant français, mince, pâle mais magnifiquement proportionné, fit preuve d'une action puissante et fluide, bien agréable à regarder »,

27

écrit un journaliste anglais, sensible au charme féminin du jeune homme. Mais, partout, les questions fusent, les doutes se font jour : « Le gamin a la classe, mais a-t-il la santé ? » demande-t-on dans le journal du matin. Ceux qui s'y connaissent constatent, eux, sans tenir compte de la pâleur, de la fragilité apparente, que le petit bonhomme se résume aussi à quelques chiffres : 1,76 mètre, 70 kilos, 6 litres de capacité pulmonaire, 48 pulsations cardiaques à la minute, et que tout cela mis bout à bout constitue une très grosse base de travail.

À peine est-il vainqueur qu'Anquetil se met la plus haute pression : dès octobre 1953, quelques semaines après sa première victoire professionnelle, c'est Coppi en personne qu'il décide d'aller rencontrer. La visite a l'air du coup de tête banal d'un tout jeune fan admiratif de son grand champion préféré, mais en fait cette excursion anodine est chargée jusqu'au bout du canon. Anquetil ne vient pas rendre visite, ne vient pas faire allégeance, il vient simplement placer la barre à la bonne hauteur. *Sa* barre. Il n'attend rien de Coppi lui-même, il vient à Novi Ligure pour établir sa propre ambition et pour se mettre une pression qui durera toute sa carrière. Peu lui importe d'être coureur cycliste, ce qu'il veut c'est être Coppi, le Campionissimo, rien de moins. C'est ce que ce voyage inattendu raconte. Lui dira-t-il « vous » ? Lui dira-t-il « tu » ?

J'aurais tellement voulu être assez fort à vélo pour aller moi aussi voir Anquetil de cette façon en Normandie. Je crois que je lui aurais dit « tu ». Je le connaissais si bien.

Il part dans sa Simca Châtelaine toute neuve, il emporte un vélo pour s'entraîner à monter des cols en chemin. Tout est en vrac et improvisé dans ce projet, tout est impulsif, mais Anquetil fait quand même la route avec Vavasseur, le photographe d'*Ouest-France*. Il veut que cette rencontre soit gravée. Il traverse les Alpes, moitié pédalant, moitié conduisant, et les dévale vers la plaine du Pô.

À Novi Ligure, dans sa grande maison, Coppi le reçoit sans façon, allongé sur la table de massage, à moitié nu, le corps pâle jusqu'à mi-bras et mi-cuisses. Il rentre de s'entraîner. Il est mince, presque fluet, ses jambes sont sans fin. À part la maigreur et la forme cylindrique du torse, le corps ne révèle, en apparence, aucun mystère. Anquetil n'est pas autrement impressionné.

Penché sur Coppi, en revanche, une sorte de géant énorme, en lunettes noires, l'impressionne davantage. Avec ses mains-battoirs, il triture le Campionissimo sans douceur et lui pétrit les muscles comme un sombre boulanger. Il ne dit rien, ne tourne pas la tête vers le nouvel arrivant.

Coppi salue Anquetil et le remercie de sa visite. Il sait tout de ses récents exploits et le prend très au sérieux, les chronos du gamin ne peuvent pas tromper un professionnel de sa trempe. Anquetil est frappé par la gentillesse du champion. Sans doute a-t-il un peu de mal à reconnaître en lui le plus grand cycliste de tous les temps, l'homme célèbre dont la vie publique fait la une des journaux du monde entier. Celui dont le destin défile en noir et blanc comme un film néoréaliste : blanc comme la Dame

Blanche qui est sa compagne interdite, blanc comme ses folles échappées solitaires vers les sommets enneigés des montagnes d'Europe, noir comme les lunettes de Cavanna, le masseur aveugle qui est penché sur lui, noir comme ses défaites dans d'innombrables « courses de trop », noir comme la mallette posée au pied de la table de massage.

Il sera Coppi.

Cavanna, le pétrisseur, le confident, le gourou, le pourvoyeur, le fascine. Ancien boxeur poids lourd, ancien pistard ayant perdu la vue, capable, dit-on, au seul toucher des muscles de reconnaître les vrais champions. C'est lui qui a « fait » Coppi, murmure-t-on, alors qu'il n'était qu'un adolescent maigrichon.

Coppi ne doute pas de la classe du jeune homme, mais il invite Cavanna d'un geste à s'en assurer. Cavanna empoigne Anquetil et lui fait passer la visite médicale. Il le palpe de partout, brutalement, il le jauge et le pèse à pleines mains, faisant rouler ses muscles sous ses doigts, cherchant les organes à travers la peau. Il retrouve beaucoup de Coppi en lui : même fragilité apparente, même puissance des reins, mêmes jambes interminables. Sans doute ressent-il aussi à travers cette peau la volonté et la détermination, la force morale. Il est aveugle, certes, mais rien ne lui échappe. Il prend longuement le pouls du jeune homme, le cœur est lent. Il pose la main sur son ventre, en douceur, et conclut : « Tu as un bon estomac. Ne mange pas trop, fais comme Bobet. »

Que décide Coppi ? Maintenant qu'il est sûr que le jeune homme est bien bourré d'autant de certitudes que

de promesses, maintenant qu'il est assuré que son talent
ne sera pas un feu de paille, il ne peut rien faire d'autre
que de lui proposer du travail, tant il est vrai que pour
rester au sommet il est prudent de mettre les plus costauds de son côté. Coppi sait qu'il est vieillissant et qu'il
ne neutralisera pas Anquetil, mais il espère déterminer
lui-même la part du gâteau qu'il faudra lui accorder...
Il se dit prêt à le conseiller, à l'aider, à lui bâtir ses plans
d'entraînement, à lui donner des moyens techniques et
financiers.

Il s'habille et l'emmène visiter sa couveuse de champions, une sorte de pensionnat cycliste qu'il a organisé
à Novi Ligure avec Cavanna. Il lui laisse entendre que,
s'il lui accorde sa confiance, son destin de champion est
tracé.

Anquetil écoute, touché et poli, mais, sans l'ombre d'une
hésitation, il dit non. Il connaît son chemin. Il n'est pas
question qu'il se mette au régime Bobet, et pour être le
Campionissimo lui-même il doit surtout dévorer Coppi
et commencer par avaler son indéboulonnable record
du monde de l'heure. Il choisit la bataille.

Anquetil : Rouler en peloton me démoralise. Je ne connais
pas tous ces gens autour de moi, le danger est partout,
je me sens enfermé. Je hais mes directeurs sportifs qui
veulent me faire rouler devant, je hais Darrigade. C'est
toujours lui qui se laisse glisser vers l'arrière où je pédale
tranquillement pour me rappeler à l'ordre et me donner
des nouvelles du front :

« Allez, réveille-toi, il faut remonter !

– Fiche-moi la paix, je fais mes comptes.

– Tu les feras ce soir, tes comptes, il y a de la bagarre devant. Prends ma roue. »

Et il me remonte dans le peloton. Je me cale derrière lui et je ne le quitte pas d'un boyau. Remonter le peloton n'est pas chose facile : tout le monde veut garder sa place devant pour se trouver en bonne position au moment où ça va accélérer et personne n'a de raison de laisser passer ceux de derrière. Pas question de se frayer un chemin au milieu, la densité est trop forte, le danger et la mauvaise humeur sont partout. Dédé me remonte sur les côtés, là où la masse de coureurs est plus élastique, là où on peut éventuellement emprunter le bas-côté, jouer des épaules. Dédé n'a pas son pareil. Les sprinteurs savent frotter, comme on dit dans le peloton, et se glisser dans des trous de souris. Et puis, tout de même, c'est monsieur Darrigade qui remonte monsieur Anquetil, et, pour certains, cela vaut qu'on se serre un peu.

En vérité, je n'aime pas les coureurs en troupeau, je suis incapable de mettre un nom sur le visage de nombre de mes concurrents. Pendant le Tour, j'en avais repéré un qui démarrait tout le temps et me tapait sur les nerfs. J'ai demandé qui c'était à Dédé et il m'a dit que c'était Adriaenssens : « Un méchant client. Il faut toujours avoir l'œil sur lui. Tu devrais le connaître depuis longtemps celui-là ! » En fait, à y bien réfléchir, je n'aime vraiment le peloton que quand il est loin derrière.

Dans les moments de grande solitude, je suis plus

fort que tous les autres hommes. Ce don que je cultive, ce travail que j'entasse sont ma marque, ma gloire, ma fortune, mes châteaux et ma prison. Lorsque je ne lutte pas, seul, contre la montre et le vent, je passe mon temps à inventer des évasions.

Il suffit que je me sente prisonnier d'un mur pour aussitôt avoir envie de le sauter. C'est un réflexe. La cigarette est proscrite, je fume. Il ne faut pas sortir le soir, je sors. Le flirt est mis hors la loi, je flirte. Le cyclisme n'est pas mon sport. Je ne l'ai pas choisi, c'est le vélo qui m'a choisi. Je n'aime pas le vélo, le vélo m'aime. Il va le payer.

Le 29 juin 1956, Anquetil entre dans le vélodrome Vigorelli à Milan. Il est vide, c'est *son* vélodrome. Celui qui a la réputation d'être le plus rapide d'Europe, le vélodrome des records. Il s'agenouille sur la piste rose et la caresse. Tout est douceur. La lumière est belle, le bois parle des lointains, de l'Afrique, du Cameroun d'où il vient, des grands espaces. Le vent est tombé. C'est ici, sur cette piste de 500 mètres, qu'Anquetil va tourner en rond, en cage, pendant une heure, sans bouger, au bout du bout de la souffrance. Une heure à fond, dans l'absolu du vélo. Pour Jacques, rien n'est plus beau que le record de l'heure. On ne peut pas y faire deuxième ; c'est tout ou rien. Le plus difficile est de se retenir d'aller trop vite dès le départ, parce qu'une heure est interminable. Sa tâche sera immense: il est venu en Italie pour battre le record de Coppi. Le plus vieux record du monde.

Il est allé, en secret, s'entraîner sur le vélodrome de

Besançon, non pas pour juger de ses capacités, pas non plus pour décider d'un plan de bataille, il sait exactement ce qu'il peut et doit faire, mais pour briser son corps et lui envoyer un message sur la nature profonde et douloureuse de ce qui l'attend. Cet effort-là, total, n'a pas d'équivalent sur la route. Il sait qu'il n'aura pas une seconde de répit, pas l'ombre d'une descente, d'une bosse qui peut signifier détente, changement de position, reprise de souffle. Sur la piste, rien de tout cela. L'absolu d'une position unique, tenue jusqu'à la torture, et la continuité absolue d'une cadence dont chaque mesure est réglée par un tableau de marche qui ne saurait être modifié. Une longue ligne droite d'une heure, sans un coup de guidon, sans paysage alentour, avec un sournois petit coup sur la tête à l'attaque de chaque virage relevé.

Le premier soir, pour sa première tentative, il souffre et renonce au bout de cinquante terribles minutes. Rien ne va : les petits sacs de sable qui délimitent la juste trajectoire en bord de piste sont trop nombreux et son vélo ne rend pas comme il devrait. Il arrête tout avant l'heure. Il sait qu'il n'est pas dans le temps du record. Il analyse et il décide. Il veut le même nombre et la même disposition des sacs que pour le record de Coppi et il veut le même vélo que lui. La firme Bianchi, qui équipe le Campionissimo, ne demande pas mieux que de lui fournir une belle bicyclette, elle est même prête à mettre à sa disposition le célèbre mécano de Coppi, Giuseppe De Grandi, dit Pinza d'Oro, mais Anquetil est sous contrat avec les cycles La Perle et ne peut, c'est signé, chevaucher d'autres machines que les leurs. Qu'à cela ne tienne : des artisans milanais indépendants lui construisent, en un temps record, un vélo aux cotes exactes de celui de Coppi. Échine longue, acier trois dixièmes, boyaux de soie de 110 grammes gonflés à l'hélium, roues à trente-six rayons, 6 kilos. Là, Anquetil va pouvoir voler.

Ce deuxième soir, les sacs sont en bonne quantité et à bonne distance et le vélo, plus étiré que le sien, s'engage mieux dans les virages relevés de la piste. Le vélodrome est plein. L'organisateur n'a pas voulu d'un huis-clos. Il a mis des billets en vente, mais il a tenu à placer partout des affichettes qui préviennent le public qu'il vient à ses risques et périls et qu'un record de l'heure ne peut être garanti. La précaution est inutile, car on imagine que la majorité des spectateurs est présente pour voir perdre Anquetil et confirmer son Coppi comme le plus grand parmi les grands.

Anquetil est de nouveau en piste. Une heure de concen-tration totale, d'effort absolu, et le record vieux de treize ans, huit mois et vingt-deux jours explose sous les yeux des tifosi consternés. 46,159 kilomètres dans l'heure, un tour de piste complet de plus que Coppi. Le tour d'honneur, en quelque sorte.

Anquetil n'exulte pas. Exulter n'est pas dans sa nature et il ne la forcera pas. Il est heureux, certes, mais il aurait même plutôt un regret, un petit pincement au cœur, il n'aurait pas vraiment voulu battre ce record aussi lar-gement du premier coup. Il aurait préféré le battre en plu-sieurs fois, pour plusieurs fois rafler la mise. Désormais, le record à battre est celui d'Anquetil et Anquetil lui-même risque d'avoir du mal.

Dans mon gruppetto de coureurs miniatures en plastique, sur ma table, le jaune figurait toujours Jacques Anquetil. Le soir, je refaisais l'étape du jour. Des livres de tailles diverses, posés à l'envers, en chapeau de gendarme, symbolisaient les cols de troisième, deuxième et première catégories. Les règles et les crayons bornaient les parcours des contre-la-montre. J'étais heureux de découvrir qu'une de mes devises, « J'aime les longs ennuis des étapes de plaine », pouvait également composer un alexandrin. Ces plaines interminables étaient de papier blanc. Les batailles faisaient rage et Bahamontes s'envolait inévitablement dans les côtes. Au sommet, posé en équilibre sur le dos du livre, il dégustait une glace à la fraise en attendant ses camarades pour plonger dans la descente. Toujours Anquetil revenait. Le scénario de l'étape que je venais tout juste de voir à la télévision était écrit et j'avais en tête la moindre de ses péripéties. Je le suivais donc avec scrupule, mais, si mon souvenir reste clair, il me semble que ma mémoire flanchait parfois sur la fin du parcours, me contraignant à inverser certains résultats, à opérer quelques substitutions et autres tours de passe-passe. Disons que le maillot jaune avait une nette tendance à l'emporter souvent, au prix d'un effort surhumain dans les derniers kilomètres. Il faut dire que, déjà, Anquetil, par sa manière de courir, me tapait sur les nerfs.

En 1961, Anquetil est le premier Français à remporter le Tour d'Italie (j'achète le petit coureur au maillot rose), ce qui n'est pas un mince exploit lorsque l'on pense à la force de l'opposition italienne, avec Baldini et Nencini notamment, lorsque l'on songe surtout à l'ardeur des tifosi musclés, qui n'ont pas leurs pareils pour transformer une étape de cols en une partie d'ascenseur pour leurs champions. La poussette est, à cette époque, l'un des beaux-arts cyclistes et les Italiens en sont les maîtres : Bobet en a fait l'amère expérience l'année précédente. Anquetil décide donc de se mettre à l'abri dans la plaine et de prendre une avance assez confortable avant d'attaquer la montagne. Il veut aussi se protéger du taciturne Luxembourgeois, Charly Gaul, que les sommets inspirent et qui, tout le monde en convient, mérite parfaitement son surnom d'Ange de la Montagne.

Le 3 juin, Anquetil choisit donc pour terrain offensif l'étape contre la montre entre Serigno et Lecco. Il va faire là une des plus belles démonstrations de sa force. Il va avaler les 68 kilomètres à plus de 45 km/h de moyenne, reléguer Baldini à 1 min 27 et Gaul à plus de 6 minutes. Ce n'est pas sa première ni sa dernière victoire éclatante dans un contre-la-montre, mais celle-ci est opportune parce qu'elle se place à la veille de la montée du terrifiant col du Gavia et elle est mystérieuse parce qu'elle porte un secret. Toujours Anquetil a soutenu que la concentration totale était la clef d'un effort solitaire réussi – ne penser à rien d'autre qu'à la course, se focaliser sur l'effort, ne pas laisser son esprit vagabonder, ne pas se laisser envahir par ses obsessions ou par ses songes... Là pourtant, et pour la première et seule fois, à ce que l'on sait, il déroge et s'accorde la part du rêve : « Je me suis dit en roulant que, si cette journée avait été de repos au lieu d'être de course, je serais allé sur la piste du Vigorelli pour tenter de battre le record de l'heure. Je me voyais à Milan, arrondissant mon coup de pédale et ne relâchant pas la pression un seul instant. » Rêver de vélo en pédalant, rêver de record de l'heure pendant un contre-la-montre, voilà une bien singulière rêverie pour un soi-disant dilettante ! J'adorais cette histoire, que je racontais aux copains qui n'y comprenaient rien, et je m'entraînais à rêver de vélo en pédalant. En ai-je grimpé, des cols, de cette belle façon !

Souvent, pendant le Tour, les nuits sont interminables. L'effet des pilules et des piqûres stimulantes ne se dissipe pas, le cœur cogne encore et la nuit s'étire. Après le dîner, après les bavardages, après le jeu de cartes où il a une fois de plus perdu, Anquetil marche dans la rue devant son hôtel dans la solitude obscure. Les reliefs de la course jonchent le sol : liste des coureurs avec leurs dossards, casquettes publicitaires abandonnées, mégots, cadeaux, porte-clefs, sa photo en grand et en couleurs, à peine froissée, juste piétinée. Il remonte le col de son survêtement. Il fait froid. C'est l'heure où il se demande s'il aura encore la force de prendre le départ. Il pourrait rester au milieu de la route, son vélo à la main,

et regarder le peloton partir sans lui. Il en a les moyens
et, à ce moment de la nuit, il en a presque envie. Il s'arrête
sur la ligne d'arrivée tracée sur la chaussée, sa vie, son
métier. Ce pourrait être la dernière. Il marche sur elle
comme on marche sur un fil. Il écarte les bras. De quel
côté va-t-il tomber ?

Quand le jour se lèvera, il ira pourtant manger et puis
bâtir avec les autres la stratégie imaginaire d'une course
qui n'existera jamais. La course idéale, sans coureurs,
la course sans adversaires, la course sans ligne blanche
tracée sur la chaussée. Il enfilera des chaussettes neuves,
blanches, un maillot propre, bleu, un cuissard noir. Partira,
partira pas ?

Anquetil : Dans le col du Luitel, j'ai suivi Favero sans
problème mais j'ai eu anormalement mal aux jambes.
À Grenoble, la pluie a redoublé et j'ai su que j'avais commis
une faute en voulant trop bien faire. Jamais je n'aurais dû
mettre un maillot de soie ce matin. Un maillot de soleil,
un maillot de victoire qui me colle maintenant à la peau
comme un carcan glacé. Trop tard. On ne programme
pas le déluge. Le col de Porte qui commence juste à la
sortie de la ville est terrible et je suis mort. J'ai du coton
dans les poumons. Je cherche un peu d'air comme un
poisson jeté dans l'herbe. Je passe le grand plateau, ça
va aller mieux. Et ça va moins bien. J'essaie le petit, rien
ne se passe. Où est ma force ? Sur quel braquet vais-je
la retrouver ? Geminiani me double, je n'ai même pas le
courage de lever les fesses pour tenter de le suivre. Je fixe

la route devant moi et je ne la vois pas. Bobet me rejoint :
« Jacques, je t'attends ? – Non, Louis, plus la peine. » Moi
qui cours toujours à la seconde près, je sens couler les
minutes. Je m'enfonce. 5 ? 10 ? 15 ? 22 ? J'ai peur dans la
descente, j'ai peur de moi. Le froid a pris mes mains. Ils
sont quatre à mes côtés. Je ne les vois pas. Je sens leurs
mains dans mon dos. Je tousse, je crache. C'est rouge.

On me frotte, on me couche, la fièvre est trop forte pour
que j'ouvre les yeux. Le docteur Dumas est assis sur le
bord de mon lit, il me parle et je grelotte. « Jacques, je sais
que vous avez fait préparer un vélo léger pour le contre-
la-montre de demain, mais je pense que vous devez vous
arrêter. Vous avez une congestion pulmonaire. Si vous
courez, vous allez finir en sana. C'est de votre santé qu'il
s'agit. » J'entends « congestion », j'entends « sana » et la
voix douce à travers le coton de mes oreilles. J'ouvre les
yeux un instant, mon lit est trempé de sueur froide. « Si
j'abandonne, les copains perdent le challenge par équipes,
le troisième est trop loin derrière, ils ont besoin de moi.
Ils vont perdre 3 millions. »

Ils les perdront. Anquetil tousse et crache du sang.

Anquetil n'aime pas les mensonges. En 1961, il s'aligne
au départ du Grand Prix des Nations une nouvelle fois.
C'est *sa* course, il l'a déjà gagnée huit fois, et Paul Wiegant,
son entraîneur du moment, veut lui faire signer un nouvel
exploit. Tout au long du parcours il lui donne des temps
de passage mensongers. Il lui annonce 20 secondes de

retard, puis 10. Anquetil s'énerve après le chronomètre qu'il porte toujours au poignet droit et qu'il pense déréglé, il appuie encore plus fort sur les pédales, égaré dans ses sensations. Il ne sait plus où il en est, il a l'impression d'enrouler, il a l'impression d'aller vite, et pourtant il n'avance pas. S'il en croit les pointages de Wiegant, à 10 kilomètres du but, il se trouve simplement dans les temps de l'année précédente.

À l'arrivée au Parc des Princes, Anquetil découvre qu'il a, en fait, pulvérisé son record de 1 min 20. Il a laissé Desmet à 9 minutes, Moser à 10 et Simpson à 20! L'exploit est colossal, Wiegant exulte. Il a réussi son coup et poussé son champion dans ses derniers retranchements par la seule force de sa ruse. Il a enfin réussi à transformer son champion de l'économie en roi de la débauche. Le monde entier sait maintenant de quoi Anquetil est vraiment capable.

Anquetil est silencieux sur la pelouse du Parc. Il reprend souffle. Ce soir, sur la balance, il s'apercevra qu'il a perdu 5 kilos au long des 100 kilomètres, il est éreinté et il bout. Il est furieux d'avoir été dupé. Une poignée de secondes d'avance auraient largement suffi à son bonheur. Sa rage refroidira mais restera une vraie rage anquetilienne: à quelques semaines de là, il décidera de se débarrasser définitivement de Wiegant et de ne plus jamais courir le Grand Prix des Nations.

La quatrième et dernière fois que j'ai vu Anquetil pour de vrai, je me suis agenouillé devant lui. Je venais de réussir mon premier bac (on en passait alors deux) et mes parents, qui se trouvaient à mes côtés, m'avaient offert un appareil photo que j'allais étrenner. Il faisait beau, la pellicule noir et blanc était neuve et bien engagée sur son rouleau, nous étions le 12 juillet 1964, je me tenais dans le fossé, à deux kilomètres sous le sommet du puy de Dôme. La route étant interdite à la circulation automobile, nous avions escaladé le puy à pied par une chaleur de bel été en compagnie de quelques dizaines de milliers de spectateurs. Nous étions rouges de soleil et d'impatience. La rivalité entre Anquetil et Poulidor était à son comble et le moment de vérité allait arriver. Sur cette seule montée se déciderait le sort du Tour de France. Si Poulidor, réputé meilleur grimpeur, parvenait à prendre une poignée de secondes à Anquetil, il enfilerait enfin le maillot jaune qu'il n'avait encore jamais porté. À défaut, Anquetil conserverait son bien. La France était alors coupée en deux et je n'étais pas, on le sait, du nombre des poulidoristes qui vociféraient sur le bas-côté. Ils venaient d'apprendre par la rumeur qui remontait le fossé comme une vague que leur champion, à quelques encablures en dessous de nous, venait enfin de lâcher Maître Jacques.

J'ai photographié d'abord Poulidor, j'ai attendu quelques secondes et puis je me suis agenouillé pour ne pas rater Anquetil qui grimpait le buste cassé, le visage livide, à l'extrême limite de ses forces. L'œil dans le viseur et le genou enfoncé dans le grain de la route, j'étais en état de vénération. J'assistais à un des plus grands moments de l'histoire du cyclisme et je le photographiais !

Anquetil arrache les secondes au bitume, le nez collé à la potence, semant son chemin de sueur vers le sommet du puy de Dôme. Mon expérience cycliste était alors largement suffisante pour que je puisse affirmer qu'il ne montait vraiment pas vite. Et que Poulidor, un instant avant lui, ne montait pas beaucoup plus vite non plus.

Si je m'étais tenu seulement trois cents mètres plus bas, c'est moi qui aurais fait la photo où les épaules des deux hommes, incapables de se départager, se touchent, la photo symbole de leur rivalité. Sur le coup, j'étais heureux d'avoir Anquetil seul, en gros plan, rien que pour moi, mais, à la réflexion, j'aurais bien aimé faire l'autre, celle où les deux hommes ont toute la largeur de la route pour eux seuls mais où l'intensité de l'effort les aimante, où chacun s'appuie de l'épaule sur l'épaule de l'autre avec des regards qui disent en chœur qu'il faut que cela cesse, que la douleur est trop grande et la course trop absurde.

On en a tant dit et tant écrit sur cette montée : que Poulidor aurait dû démarrer plus tôt, qu'Anquetil poussait un braquet mieux adapté, que la pente à cet endroit était trop forte, que Poupou aurait pu suivre Bahamontes parti devant s'il l'avait voulu. On a parlé d'ascendant psycho-logique, de guerre des nerfs. Je n'y crois pas une seconde. Ce n'est pas dans ces moments-là que l'on enclenche la machine psychologique, là, on est simplement à fond et on fait le métier qui consiste à monter le plus vite possible en haut de la montagne sur son vélo. Poulidor et Anquetil sont à bloc, ils sont jumeaux et chacun d'entre eux aura sa victoire et sa défaite. Poulidor aura lâché Anquetil, mais de trop peu, Anquetil se sera fait lâcher par Poulidor, mais de trop peu. Et moi, j'aurai mes deux photos. Je descendrai de la montagne aussi, avec quelques questions complémentaires. Anquetil était-il le plus fabuleux défenseur de l'histoire du cyclisme ? Avait-il mis au point la façon la plus destructrice d'utiliser les limites de sa force ? Refuser de se mettre derrière Poulidor, ne pas prendre son abri, vouloir rester à tout prix à sa hauteur, lui imposer sa roue avant, était-ce la marque de sa plus grande force ?

Cette défaite, car c'en était bien une, était-elle la plus sûre façon de gérer la victoire finale à Paris ?

Lorsque les photos furent développées dans mon grenier de la rue Gambetta à Saint-Étienne, je passai un très long moment à les contempler. Poulidor s'y montrait clairement dans un effort athlétique maximal, à l'extrémité de ses forces et dans la grande clarté de son métier de coureur cycliste. Anquetil, lui, était d'une pâleur de cadavre, les yeux perdus dans un monde secret qui n'était pas celui du vélo, puisant des forces dans un lieu illisible, dans un puits de mystère.

À quoi marche Anquetil?

Petit cycliste, j'avais des idées claires sur ce que devait être un champion. Elles étaient si claires que je les consignais dans un cahier d'écolier parmi les photos que je découpais dans les journaux et collais dans un ordre qui n'appartenait qu'à moi. Ce cahier était à la fois mon Panthéon et mes Commandements.

Un champion était d'abord et avant tout un être porté à l'exploit, et pour cela il devait aimer son sport plus que tout, sans débat. L'exploit consistait à gagner encore et toujours ou à perdre de telle façon que la défaite soit une victoire. Photo d'Anquetil.

Le deuxième trait du grand cycliste était un amour du vélo sans partage. Alfredo Binda, qui faisait coucher sa bécane dans son lit et qui couchait par terre lorsqu'il pensait avoir mal couru, me semblait être la norme. J'avais sa photo.

Le grand champion se reconnaissait aussi à son indifférence totale à l'argent – les cyclistes n'étaient pas des footballeurs! Pédaler et gagner ce qu'il fallait pour pédaler encore me semblait un sort enviable – il est vrai que je

ne connaissais pas les affres de la fringale, ni les néces-
sités du quotidien... Photo de Walkowiak.

Comme moi, le grand champion acceptait la douleur
comme une donnée de base de son dur travail. Il la domes-
tiquait jusqu'à en faire une alliée, y compris en prenant
du repos, à quoi j'excellais. Photo de Geminiani.

Dans cette gestion de la douleur, le champion était un
être sain qui pouvait s'accorder une banane en course
et un chou à la crème le dimanche à déjeuner avec une
gauloise (sans avaler la fumée). Il avait droit à un café
fort avant le départ et à un quart Perrier à l'arrivée. Photo
de Bobet.

Le champion était un être généreux et modeste qui
encaissait les mauvais coups de ses adversaires et du
sort sans rien dire et savait reconnaître les mérites de
ses concurrents. Il ne devait jamais hésiter à offrir une
victoire lorsqu'il pouvait le faire. Re-photo d'Anquetil.

Il va sans dire que lorsque je fus en âge de revisiter ces
Commandements à la lumière de la carrière de mon idole je
dus réviser quelques-uns de mes jugements, et je fis même,
à cette occasion, des découvertes supplémentaires...

Marche-t-il à l'exploit ?

En matière d'exploit, on n'a jamais fait plus gros.

ANQUETIL : Je l'ai vu venir avec ses gros sabots, le grand
Geminiani. D'abord ça a été une allusion en passant,

comme sans y penser : « Celui qui réussirait à gagner le Dauphiné et Bordeaux-Paris dans la foulée, celui-là, vois-tu, il assurerait ses arrières pour vingt ans ! Le public lui baiserait les pieds ! Mais c'est du rêve... » Et puis plus rien pendant des semaines. Je connais mon Geminiani par cœur et je laissais venir.

Lorsque j'avais envisagé de courir les deux épreuves en dressant mon calendrier au début de la saison, j'avais constaté qu'elles se suivaient immédiatement et que les enchaîner était impossible.

Je l'ai vu revenir quelques semaines plus tard sur un autre terrain : « Il te faudrait un exploit, pour mettre du beurre dans tes contrats de l'an prochain. » Il sait que je suis sensible à ce genre d'argument. L'argent ne me rebute pas et je ne sais pas pédaler dans le vide économique.

À quelque temps de là, c'est Janine qui en a remis une louche : « Il est fou, Gem ! Qu'est-ce que c'est que cette histoire d'enchaîner le Dauphiné et Bordeaux-Paris le même jour ? C'est impossible. »

Et voilà comment le piège s'est mis en place et comment il me devient difficile de dire non frontalement dans un éclat de rire.

Ils savent que je vais dire qu'« impossible n'est pas Anquetil » et que je vais m'y coller. J'aime trop jouer et parier moi-même pour ne pas aimer qu'on parie sur moi. Geminiani se croit fin psychologue. Il l'est, mais certainement pas à l'endroit où il croit l'être. Je connais assez Janine pour deviner qu'elle lui a dit que j'étais maintenant à sa pogne, qu'elle m'avait chauffé. Je suis chaud, c'est vrai. Mais il reste que faire ces deux courses à la suite est un non-sens si je ne les gagne pas. Il ne s'agit donc pas d'enchaîner une course de huit jours en haute montagne et la plus longue classique de l'année en quelques heures, avec un transfert en avion, sans possibilité de dormir, mais bien de les gagner. Au moins gagner la première pour aller voir ce qui se passe dans la seconde. Un truc de fou. Un truc à la Anquetil. Janine et Gem ont raison, ce genre d'exploit marque. Mais c'est Anquetil qui pédale. Eux, ils combinent, ils bavardent, et ensuite ils me regardent mouliner en pensant qu'ils ont eu bien raison de me pousser un peu.

Alors je cède et c'est moi qui prends la main : « Tu t'es occupé des détails concernant cette affaire de Bordeaux-Paris ? Il va falloir trouver un avion. » Geminiani exulte, j'ai craqué, et les emmerdements commencent. Trop heureux, il annonce tout cela à grands cris dans la presse, et quand il crie, Geminiani, on l'entend loin. Dès qu'ils apprennent la nouvelle, les organisateurs du Dauphiné sont furieux. Ils m'envoient une lettre pour dire que je dévalorise leur course en voulant en enchaîner une juste derrière. Le public va finir par croire qu'elle est trop facile, leur virée alpine… Il faut les convaincre. Ensuite, pendant que Gem met la main sur un jet, j'attaque le Dauphiné et je commence à m'occuper de Poulidor, qui a fermement l'intention d'en découdre. Il va falloir jouer serré et compter sur les bonifs dans les premières étapes parce que le terrain, en montagne, lui est particulièrement favorable.

À Saint-Étienne, je fais deux derrière Desmet et devant Poulidor, j'empoche 15 secondes. À Chambéry, j'ai 1 min 15 d'avance, mais j'en ai bavé dans les bosses, je me suis fait larguer dans le col du Berthiand et, dans le Revard, il a fallu que je fasse l'acrobate dans les descentes. J'ai peur pour l'étape de Grenoble. Comme souvent au Dauphiné, il fait froid, et le froid, il n'y a rien de pire. Je mets toutes mes forces à ne pas lâcher. Je bouche le trou sur Kunde, c'est moi qui fais le boulot, et je ne quitte pas Poulidor d'un boyau, je le colle. La descente glacée vers Chamrousse est une pure horreur, je ne sens plus mes doigts et j'ai oublié mon imper. Il ne me manquerait plus qu'une bronchite. Je mets un temps fou à me réchauffer. Je fais six, Poulidor sept.

Cet animal a progressé dans le contre-la-montre, à Romans, pour l'avant-dernière étape, je me fais une chaleur : je ne lui mets que 13 secondes sur 38 bornes, et pourtant je ne caresse pas le ruban – plus de 44,5 de moyenne ! Mais la course est enfin pliée, il ne se passera plus rien, et dans les 220 bornes vers Avignon je me repose en fond de paquet et je pense à Bordeaux. Ou, plus exactement, à Paris, *via* Bordeaux. Il me tarde d'être au Parc des Princes.

Ensuite commence la course contre la montre la plus insolite de ma carrière. 17 heures : ligne d'arrivée à Avignon. 17 h 05 : podium, baisers, bouquet. 17 h 10 : je cours derrière mon mécano jusqu'à la Ford Taunus – Gem est au volant, ça va crisser. 17 h 20 : à l'hôtel, bain, massage léger, steak tartare, camembert, tarte aux fraises, bières.

« Vous ne voyez pas qu'en douce Poulidor se pointe au départ... Une deuxième place dans Bordeaux-Paris, c'est jamais mauvais. »

17 h 55 : re-voiture avec les vélos sur le toit et Rostollan à mes côtés – ça va re-crisser, les motards ouvrent la route, on est à fond. 18 h 30 : aéroport de Nîmes, interviews et massage dans la salle d'attente, quel temps fait-il à Bordeaux ? Il pleut, merci. 18 h 35 : l'avion est un Mystère 20, René Brigant est au manche et Gem me dit que c'est de Gaulle qui nous le prête. Je sais que c'est mon seul vrai moment de repos, je lève mes jambes sur ma valise, posée sur le siège devant moi, et je ferme un instant les yeux, les moteurs sifflent. À peine sommes-nous montés que déjà nous descendons. À Bordeaux, c'est la panique du transfert, de la préparation des vélos, les vêtements chauds pour la route de nuit. Stablinski et Denson sont sur place, prêts à me donner un coup de main. Il faut surveiller Simpson. Il veut gagner. J'ai mal aux jambes. J'ai sommeil. Au lieu d'aller au lit, il me reste à pédaler 557 kilomètres. Les 258 premiers, seul dans la nuit mouillée, et le reste à bloc derrière les dernys des entraîneurs à plus de 50 à l'heure. Une folie.

À 1 h 30 du matin, nous nous enfonçons dans la nuit noire, la route vaguement éclairée par les phares des voitures qui nous suivent. Il fait froid, le vent de nord-ouest est contre nous. Lorsque la pluie se remet à tomber, j'annonce au photographe sur la moto qui vient de me tirer le portrait en oiseau de nuit à bonnet de laine que je vais abandonner. Enchaîner ces deux courses est simplement impossible, même ceux qui se sont préparés spécialement pour le seul Bordeaux-Paris et qui sont en pleine forme souffrent. Je les vois. Même Simpson qui est pourtant costaud, même l'indestructible Stablinski qui n'a pas l'air très frais. Et c'est lui pourtant qui me dit de tenir, que le jour va se lever et que tout deviendra plus clair. Denson roule devant moi pour fixer la petite cadence et me protéger du vent. Je tiens le coup quelques kilomètres de plus pour lui faire plaisir, mais je suis fragile. Combien de questions noires peut-on se poser dans une nuit passée à pédaler sous la pluie avec un effroyable mal aux jambes ?

À Châtellerault, avant de prendre les entraîneurs nous nous arrêtons : arrêt pipi, arrêt toilette, arrêt déshabillage, arrêt maillot, vite un petit massage. Et puis, au moment de reprendre le vélo, le trou. Le gouffre cycliste, plus envie, plus besoin, plus la peine, pas de raison, aucune bête au monde, plus bouger, jamais, plus pédaler surtout, s'asseoir enfin dans la voiture au chaud, ne plus être un coureur, ne pas les écouter, dormir, mettre un costume, nouer une cravate, être un type normal, juste normal.

« Descends de là ! Ta place n'est pas dans ma voiture mais dans le camion-balai ! Ouste ! Dégage ! Tu me fais passer pour un con, moi, Geminiani, qui avais confiance en toi ! Tu me trahis. Alors je vais te dire : entre nous c'est fini ! Tiens, serre-moi la main, c'est la dernière fois… Jamais je n'aurais dû faire confiance à une gonzesse. Car tu n'es qu'une gonzesse, Jacques, qu'une gonzesse et rien d'autre. »

À cet instant-là, j'aimerais vraiment bien être une gonzesse, comme il dit. Ou un autre mec, peu importe. Être tout sauf moi. Gem n'a jamais fait léger. C'est Stab qui me tire par la main vers mon vélo et ma jambe se soulève toute seule, sans mon autorisation, pour repasser par-dessus la selle. Ensuite ce sont les premiers tours de pédale dans l'enfer, et puis la pétarade du derny et le gros Jo Goutorbe qui se place devant moi et qui va m'entraîner. Il a entassé des pulls et des maillots pour se faire plus gros encore, il pédale en canard pour me couper le vent, son dos est mon seul horizon, je ne veux plus rien voir d'autre, qu'il s'occupe de tout, je dors en pédalant, je n'existe plus.

C'est la douleur qui me réveille. L'accélération brutale est terrible, le passage de 25 à 50 kilomètres à l'heure après une nuit d'ankylose est une horreur. Mes jambes hurlent, mon dos est en feu. Mais cette douleur-là, je la reconnais, c'est celle des entraînements du vendredi, elle m'est familière, c'est la douleur de Boucher, elle remonte en mémoire dans chacun de mes muscles et, paradoxalement, elle me fait du bien. J'ai soudain mal au bon endroit. Mal où les cyclistes ont mal. Goutorbe se retourne pour me juger, il accélère un peu, pour me tester. Je parviens à suivre le rythme et je reviens dans la course. Denson est parti devant, comme prévu. Ce qui n'était pas prévu, par contre, c'est l'attaque sèche de Mahé. On va aller le chercher tranquillement avec Simpson et Stab. Pas si tranquillement, en fait, parce que Simpson attaque à son tour, Stablinski fait l'effort pour recoller. J'ai du mal à tenir l'accélération sèche, je reviens doucement, mais je suis encore au bord du gouffre. Le soleil est sorti de derrière un nuage et nous arrivons au pied de la bosse de Dourdan, je reconnais ce paysage familier et là, miracle, je commence à transpirer. C'est le signal, je redeviens coureur cycliste. La cadence monte. Goutorbe ne se retourne plus, maintenant il tire. Mahé est repris. Je laisse Stab et Simpson se chamailler dans les bosses de la vallée de Chevreuse et dans la côte de Picardie, je suis Anquetil. À cette cadence, je vais bientôt pousser le derny. La route file à nouveau sous mon ventre, les jambes tournent rond, le braquet s'enroule, ma roue avant flirte avec le garde-boue arrière de Goutorbe. Il accélère et nous basculons au sommet. Il se retourne, l'écart est fait. La descente, le pont de Sèvres, la porte de Saint-Cloud, la route de la Reine, le Parc des Princes, 57 secondes d'avance, 2 500 kilomètres en neuf jours.

L'ovation du public est immense, je suis surpris. Geminiani et Janine avaient raison. Ensuite, c'est le protocole, le bouquet, les interviews, je concède aux journalistes que je me sens «un peu las». S'ils savaient. On gardera les vraies sensations et les vrais sentiments pour plus tard.

Marche-t-il à l'amour du vélo?

Pour ce qui est de l'amour du vélo, peut mieux faire. «Le vélo n'est pas, n'a jamais été mon grand souci», disait volontiers Anquetil avec son air farceur. Si on insistait un peu il ajoutait même, sans sourire : « Je crois bien que je n'aime pas, que je n'ai jamais aimé, que je n'aimerai jamais le vélo. »

Il n'y avait pas que de la provocation dans ce genre de déclaration, Anquetil se sentait à coup sûr prisonnier de son vélo. Être capable de rouler cinq kilomètres à l'heure plus vite que tous les champions de la planète rapporte une fortune mais crée des obligations et il devient, dès lors, assez difficile de faire de sa bécane un outil de liberté. On peut comprendre que le plaisir d'enfourcher sa belle machine ne soit pas chaque matin au rendez-vous. D'autant qu'on y souffre et que, même si la décision de souffrir est purement intérieure, on peut légitimement en vouloir au vélo.

Il en va forcément de même pour tous les cyclistes de la terre, mais en règle générale, par égard pour leur cher public, ils choisissent l'autre côté de la médaille pour exprimer les secrètes intermittences de leur cœur, ils montrent la face positive et dorée de leur relation au métier. Anquetil, lui, voit noir, par souci de provocation, par jeu de différence. Toujours ce petit goût de la pose et cette intelligence malicieuse des situations. S'il dit qu'il aime le vélo, personne ne lève un cil, s'il avoue le détester, la nouvelle fait le tour du monde... et pourtant, je suis certain qu'il l'aime.

Lorsqu'on insiste encore, il reconnaît aussi que la technique l'indiffère et qu'il abandonne volontiers aux mécaniciens le soin de choisir son vélo et ses braquets. Il serait pourtant bien étonnant qu'il ne jette pas un petit coup d'œil expert sur ses machines. Tous les engins qu'on voit sur les photos ou sur les films sont du dernier cri de la technique du temps : cadre Reynolds en acier, jantes alu, freins MAFAC à tirage central, moyeux grandes flasques, jeux de direction, manivelles et dérailleurs Campagnolo, potence Pivo, selle Brooks. Rien n'est laissé au hasard. Dès lors qu'il est certain d'avoir tout le meilleur, il peut se montrer distant. Cependant, lorsqu'il s'agit de battre le record de l'heure, c'est lui qui exige le même cadre que celui de Coppi, lorsqu'il doit batailler dans la très sévère montée de la Forclaz, c'est lui qui demande à Geminiani de trouver une combine pour lui fournir un vélo plus léger.

Lorsque des gamins de passage sont admis dans la grange de la demeure des Anquetil, ils sont surpris de compter une vingtaine de vélos, des dizaines d'accessoires et une centaine de boyaux qui sèchent en vue de la saison prochaine.

Il est vrai que, une fois sa carrière terminée, Anquetil a toujours refusé de remonter en selle. Sophie, sa fille, née bien après sa retraite sportive, le harcèle : à force de le voir en photos partout dans la maison et les journaux, elle voudrait l'y voir pour de vrai. Il résiste. Un jour pourtant, à l'occasion de son huitième anniversaire, il se décide. Il fait beau, la table est mise devant la piscine des Elfes et, cadeau délicieux, Sophie voit son père arriver droit sur elle, enfin perché sur sa belle bicyclette. Il traverse le pré majestueusement dans sa direction et va soudain se jeter avec son engin dans la piscine. Ce sera la seule fois.

Marche-t-il à l'argent ?

Pour ce qui concerne l'argent, ça se complique.

Le jeune Anquetil est accroupi. Il cueille les fraises, cueilleur parmi les cueilleuses, et les range dans les caissettes. Son dos est courbé tout le long du jour, il apprend la souplesse. Pour faire la bonne mesure, il doit emplir cinquante caisses par jour. Parfois, on le voit aussi dans les airs, occupé à secouer un pommier. Il gagne sou après sou le prix de son futur vélo. Un Alcyon. Son père le traite en ouvrier, sans faveur. Le nez baissé, il travaille.

À la fermette du Bourguet, la maison des parents Anquetil, des roses pompon courent sur la façade de briques rouges. La photo montre Jacques adolescent, perché sur une échelle, en veston et chapeau, le nez planté dans une énorme rose qui lui cache la moitié du visage. Une posture à la manière du mime Marceau, un air rêveur et frêle de Pierrot de convention, rien de l'image d'un dur à cuire des pelotons, pourtant le regard est tout sauf vague. « Je n'ai pas posé pour ce cliché. Il m'arrivait souvent d'arracher une fleur. C'était ma manière à moi de regarder de l'autre côté de la Seine, vers les maisons bourgeoises, les transats alignés sur les pelouses et les garages à bateaux. »

Anquetil sait ce qu'il veut, il rêve de vie bourgeoise

et de confort, et, pour cela, il commence par être différent, il se coiffe, il est coquet, il choisit des polos noirs pour se singulariser. Il lui est agréable qu'on dise de lui : « Anquetil, c'est le gars habillé en noir. » Il veut être le plus élégant malgré la grande modestie des moyens familiaux, le plus singulier.

Lorsqu'il débutera dans le vélo, c'est Roger Hassenforder, le sprinteur un peu foutraque, qui l'aidera à choisir ses cravates, puis Janine lui choisira ses costumes, les costumes qu'il rêvait de porter le soir à l'étape, en lieu et place de ces hideux survêtements. N'avouera-t-il pas, sur le tard, qu'il aurait voulu, dans une vie rêvée, être travesti ? En attendant, il veut devenir riche. « Au départ, il y a chez moi un évident désir de promotion sociale, la volonté de m'élever dans une société qui me réservait la part congrue. Quand j'ai vu ce que mes premières grandes victoires mettaient comme admiration dans le regard des gens et surtout d'argent sur mon compte en banque, je me suis dit : Si tu veux que ça continue, ne te mets pas, toi, à devenir ton propre fan. Moi, je ne me suis jamais ébloui ; j'en suis resté au simple plaisir d'être tranquillement fier de moi. »

La victoire est le plus court chemin vers l'argent, mais pas n'importe quelle victoire. Lorsque l'on est capable de tout gagner, il faut éviter la dispersion, la lassitude et, par-dessus tout, les victoires inutiles. Une victoire inutile est une victoire qui ne fait pas monter la cote ni le tarif.

À cette époque, les coureurs gagnent principalement

leur vie grâce aux critériums organisés durant l'été, après le Tour. Chaque petite ville, chaque village veut avoir *sa* course avec tous les champions de l'année, revêtus de leurs beaux maillots de vainqueurs. En général, ces « compétitions » se déroulent sur un circuit fermé dont l'entrée est payante. Les spectateurs se pressent et les organisateurs sont disposés à payer en bon argent. Les coureurs reçoivent des prix selon leur résultat et à l'occasion de sprints destinés à attribuer des primes, données par tel ou tel commerçant local en mal de publicité, mais l'essentiel de leur revenu est dans la prime d'engagement qu'ils touchent quel que soit leur rôle dans la course et qui dépend très directement de leur notoriété. Deux agents rivaux, Piel et Dousset, se partagent les coureurs et négocient pour eux les meilleurs contrats. Ils servent également de conseillers pour les coursiers et savent leur recommander telle ou telle stratégie au long de l'année pour faire monter leur cote. Ils servent, en quelque sorte, de conseillers stratégiques et financiers. Ils peuvent également avoir un effet négatif sur le déroulement des courses, comme au Tour 59, où c'est leur rivalité qui a entraîné la perte d'Henry Anglade. Comme on l'imagine sans peine, leurs relations avec les directeurs sportifs des différentes équipes ne sont pas toujours au beau fixe.

Anquetil est, bien entendu, l'attraction vedette et empoche les plus grosses sommes d'argent. Il tient à ce que cela continue et aille en augmentant. À cette fin, il met tout en œuvre. Si sa cote menace de descendre à la suite d'une saison moyenne, il s'attaque au record de l'heure.

Une victoire de plus n'ajoutera rien à son chèque ? Qu'à cela ne tienne : il en enchaîne deux.

À l'occasion de ces critériums, les coureurs sont tenus de faire le spectacle et ils doivent rouler pour de bon, mais leur tâche est allégée. Ils parcourent de courtes distances, sur des circuits brefs, des « tourniquets », où les spectateurs les voient plusieurs fois passer. En général, les coureurs utilisent des braquets plus petits que d'habitude pour ne pas s'user et, surtout, décident du résultat à l'avance, ou du moins des grandes lignes de la course. À chacun est donné un rôle qu'il doit jouer. Ils s'en tiennent à une routine spectaculaire destinée à montrer les maillots. Ce sont cette routine et cette absence un peu trop visible d'enjeu qui résisteront bientôt mal à l'usure du temps et à l'impact des retransmissions télévisées. Dans les années 60, cette série de critériums ressemble à s'y méprendre à une tournée de théâtre dont la pièce est connue : un régional porte la première escarmouche, le champion de France va le chercher, Poulidor s'échappe à son tour, Darrigade a raison de lui et c'est Anquetil qui gagne à la fin… La représentation terminée, la caravane reprend la route pour aller au départ de celle du lendemain, qui se trouve souvent à plusieurs centaines de kilomètres et qui impose une longue nuit passée au volant. Pour les coureurs, c'est le temps des moissons et ils engrangent.

Anquetil est riche, aussi est-il facile de dire de lui qu'il a une caisse enregistreuse à la place du cœur, d'autant qu'il est le premier à déclarer à qui veut l'entendre que « le cyclisme est trop dur pour courir pour des médailles ». Il achète des châteaux, de la terre, des vaches, des grosses autos, il a une femme belle et bien vêtue, comme une actrice de cinéma, qui lui sert de chauffeur. Il est une star dure en affaires. Il discute passionnément ses contrats, par goût du jeu autant que de l'argent.

Lors d'un critérium, un organisateur décide de ne lui donner que la moitié du cachet prévu parce qu'il est resté invisible dans le peloton et qu'il s'est refusé à faire le spectacle. Anquetil accepte la sanction sans rien dire et reconnaît qu'il n'a pas joué le jeu à fond. L'année suivante, il gagne le même critérium avec un tour d'avance et il demande à l'organisateur de lui verser son cachet plus la part perdue de l'année d'avant. Ce qui est fait.

Anquetil est riche et l'argent devient aussi un outil de travail. Tout ne disparaît pas en châteaux et en Ford Mustang. L'argent sert également à fabriquer plus d'argent, Anquetil devient fatalement champion *et* patron. Il en a les moyens. Il est le meilleur, il est sans doute le plus intelligent, il est le mieux payé et l'argent est un des outils désormais à sa disposition pour que cela dure. À un moment donné, le monde de la course paraît stable : on sait ce que vaut chacun, on sait de quoi chacun est capable, on connaît le juste prix de tous. Pour Anquetil, il suffit de savoir répartir en conséquence les victoires, les exploits et l'argent entre les équipiers et les autres coureurs. En quelque sorte, payer le bon coureur au bon moment au bon prix et continuer à pédaler comme personne pour être payé comme lui seul.

Et puis un jour ce bel agencement se brise. Quelque chose se passe qui va mettre le champion hors de lui, lui faire perdre ses repères, un phénomène incompréhensible qui échappe à ce qu'il croyait être la seule logique possible de sa vie, et ce quelque chose se nomme Raymond Poulidor.

Raymond Poulidor est un très bon coureur, bon grimpeur, bon rouleur, capable de progrès, mais Anquetil en a tout de suite pris la mesure. Poulidor pourra lui en faire voir, pourra le défier, pourra le pousser à bout, mais jamais il ne le battra. Il n'est pas de la même trempe et Anquetil a immédiatement pris sur lui un ascendant psychologique qui est déjà une victoire. Seulement voilà, le public s'est pris de passion pour ce paysan poupin et de belle mine, ce bon enfant voué à l'honneur des deuxièmes places. Sans le faire exprès, Poupou est devenu, aux yeux de son public, une sorte de contraire positif d'Anquetil et sa victime chronique. Par reflet négatif, il donne au Normand des allures méprisantes, des postures hautaines, des arrogances auxquelles Anquetil n'a jamais pensé, trop occupé qu'il était à rouler plus vite que les autres hommes. Et comme le public veut Poulidor, Poulidor se fait payer au tarif de l'amour. Et Anquetil découvre que l'amour peut valoir aussi cher, voire plus cher, que la qualité. Il est furieux et il prend conscience trop tard qu'il n'est pas entraîné pour cette course-là. À l'amour du public, il a course perdue, lui qui est si facile à admirer et si difficile à aimer...

Pire encore : plus il fait preuve de son excellence, plus il montre sa supériorité, plus il pédale comme personne et plus Poulidor est populaire. Anquetil est dans un piège d'orgueil qui le rend fou. Un piège d'autant plus diabolique que Poulidor est un bon gars, quelqu'un avec qui il fait ami-ami, un copain de cartes, un compagnon terrien, un acheteur de vaches. Il ne lui en veut pas parce qu'il sait que le vrai adversaire n'est pas Poulidor, c'est l'amour.

La rivalité entre eux, attisée par les médias, va jusqu'à son paroxysme, puis elle atteint le point où le diable tentateur sort de sa boîte. Ce diable, c'est Piel, le manager de Poulidor, le rival du Dousset d'Anquetil, le tireur de ficelles, celui qui fait monter les cachets. Il a la clef du trésor : si Anquetil laisse gagner le prochain Tour de France à Poulidor, il lui promet de faire exploser sa valeur marchande. Cinquante contrats sûrs de 50 000 francs chacun, au moins. Le pactole.

Anquetil réfléchit, pèse l'argent et la gloire et décide pour cette fois de ne pas courir derrière l'argent. Il va faire du vélo pour gagner. C'est peut-être la seule fois, mais c'est la grosse fois.

Marche-t-il à la douleur ?

Pour la douleur, j'avais affaire à un spécialiste.

ANQUETIL : Le Grand Prix des Nations nécessite une longue mise en condition. À l'approche de l'épreuve, je m'en remettais souvent à M. Boucher, mon premier conseiller. Son cyclomoteur, c'était le martyre. Plusieurs semaines avant la course, et une fois tous les deux jours, je m'entraînais dans son sillage. Il n'y a rien de tel pour briser les muscles. La vitesse minimale : 40 kilomètres à l'heure et des pointes dépassant souvent les 60 ! Parfois, c'était terrible. Quand ça me faisait trop mal, je suppliais Boucher de ralentir, mais vous ne connaissez pas Boucher : il accélérait encore ! Alors je serrais les dents. C'est peut-être à cet entraînement que je dois de ne jamais avoir eu à user totalement en course mes réserves d'énergie. J'ai pédalé à l'extrême limite de mes forces à l'entraînement, j'ai appris à mesurer mes efforts dans le deuxième temps de la course et à me lancer dans le final sans craindre la défaillance.

Il existe une différence énorme entre « avoir mal » et « se faire mal ». Les athlètes le savent bien. Anquetil n'aime pas avoir mal mais il sait se faire mal comme personne. Le schéma n'est ni passif ni directement masochiste. Il fait partie de certains sports comme chemin obligatoire vers la victoire. À vélo, ce chemin de douleur est visible. Voir un coureur de 100 mètres voltiger vers une victoire en moins de 10 secondes ne donne au profane qu'une faible idée des douleurs qu'il a encaissées durant sa préparation, en revanche voir un cycliste ahaner dans un Galibier donne une claire appréciation de son chemin de douleur. Ceux qui subissent la course et qui ont mal souffrent du train imposé par ceux qui se font mal. Anquetil fait partie de cette dernière catégorie. Il a souvent dit qu'il allait dans des lieux de douleur où il était seul à mettre ses boyaux, mais qu'il y allait de son plein gré.

Jouir de sa puissance est jouir tout court. Anquetil pouvait entraîner pendant des heures et sur les terrains les plus variés des développements énormes sur lesquels l'ordinaire de ses confrères restait planté. C'était son truc. C'est pour lui que l'on a créé sur mesure le terrible braquet de 13 dents, l'arme absolue du rouleur des années 60. En 1967, il prend même le risque de le mettre sur la piste : le monstrueux (pour l'époque !) 52 × 13 sera son braquet du record de l'heure. À l'époque, on se demandait comment il pouvait l'entraîner sans s'arracher les muscles et les tendons...

ANQUETIL : Le peloton est intenable, nerveux, on y sent des tensions, des alliances. Je redoute un coup fourré. Les équipiers rechignent, les adversaires se montent le bourrichon. Dès le départ je me porte en tête. Il faut faire clair. Je mets le grand braquet et j'enroule. À partir de là, je ne me retourne plus, j'accélère progressivement. Je ne demande rien à personne, pas un relais, pas un coup de pouce. Si un s'avise de se porter à ma hauteur, j'accélère encore. Il va en être ainsi jusqu'au retour à l'ordre. Derrière moi, la file s'étire, je sens que, l'un après l'autre, les plus faibles lâchent. On n'entend plus un bruit. Le peloton travaille et souffre. Je continue à accélérer.

Cela me rappelle mes premières courses chez les amateurs, quand je ne savais rien du vélo et de la course. Je roulais simplement à mon train et je me retrouvais vite seul sans personne pour me suivre. Maintenant ce sont les meilleurs coureurs du monde qui sont dans ma roue et qui courbent l'échine. On fera une centaine de kilomètres en enfer s'il le faut. Je vais les calmer.

Marche-t-il à la drogue ?

Pour la vie saine, je repasserai.

Jacques Anquetil et Ercole Baldini, qui en ont si souvent décousu, se retrouvent une année au Grand Prix de Forli contre la montre. Ils vont courir une fois encore l'un contre l'autre, ils connaissent l'opposition par cœur et ils savent qu'ils ont course gagnée. Ils feront un et deux, comme on dit en cycliste. Reste seulement à savoir qui sera un et qui sera deux. Un détail pour eux qui s'estiment et qui n'en sont plus à une victoire près. La veille au soir, au dîner qu'ils partagent avec quelques amis, une idée leur traverse l'esprit : « Puisqu'on est sûrs de gagner, pourquoi on se la ferait pas à l'eau minérale, pour voir ? On prend pas d'amphètes, rien. » Marché conclu presque en riant, presque une farce.

Le lendemain, ils courent, comme promis, sans cachets, sans piqûres, ils gagnent. Ils font une moyenne inférieure de un kilomètre et demi à celle des autres années, la route leur semble interminable et ils ont l'impression de se traîner et de souffrir le martyre. Ils se retrouvent à l'arrivée, éprouvés. Anquetil a fait un, Baldini, deux.

« On ne recommencera jamais !

– Jamais. Promis. »

Anquetil se dope et le dit publiquement dans *L'Équipe* en 1967 : « Il faut être un imbécile ou un faux jeton pour s'imaginer qu'un cycliste professionnel qui court 235 jours par an peut tenir le coup sans stimulants. »

Un équipier prépare tout dans sa gamelle métallique. Les cachets, les piqûres. Des amphétamines, toujours, pour rendre la route possible, pour mettre de l'intensité, du rose sur la chaussée, pour chasser plus loin la douleur et la fatigue, pour pédaler enfin comme Sartre écrit, pour pédaler comme les enfants bientôt danseront, dans l'oubli de soi et du monde, dans un jour libéré du mal aux jambes où l'on se sent juste un peu plus fort que soi-même. Pédaler au bord du rêve.

Le peloton se dope et le peloton sait ce qui est bon pour le peloton, de toute éternité, parce que le peloton est le monde. Ceux du dehors ne comprendront jamais que ralentir n'est pas un projet, que se doper est une décision vieille comme l'invention de la douleur et que le dopage épouse l'histoire des hommes. Contrairement à la drogue, il n'est pas une aventure individuelle, il est collectif et reflète son univers. Celui d'Anquetil est nerveux, pointu, il charge l'âme pour libérer le corps. Les dommages prévisibles sont très loin dans l'avenir, alors que la côte, elle, monte tout de suite, droit devant.

Anquetil répète qu'il se drogue dans *France Dimanche* et c'est le tollé général. Il a péché par excès de franchise.

Il doit se cacher, il doit ruser, mentir. On voudrait tant qu'il se rétracte. Or il insiste en affirmant que ceux qui pensent que l'on peut faire de la course cycliste sans se doper sont des menteurs. Il sait que ses fesses sont trouées comme une passoire. Ce sont les siennes.

En attendant, au vu de tous, il met dans son bidon de la bière brune, du sucre et de la caféine : un point d'ivresse et deux points d'énergie. Tout ce qu'il faut pour faire un vainqueur.

Plus tard, il s'essaiera même au pastis, sans doute infusé dans son bidon par ses succès au Super Prestige Pernod. Mais tout cela est parfaitement autorisé par la brigade.

ANQUETIL : En 1966, je rêvais d'une course pure, une course sans la moindre tache, une victoire parfaite ou une défaite qui le serait également. Une course sans combine, sans coup fourré, une course de vélo. Ce sera Liège-Bastogne-Liège, la Doyenne, la plus belle. J'ai demandé à mes équipiers de se tenir en retrait, de me laisser faire, de ne pas me prêter main-forte. Il fait chaud, je suis bien. Je veux les éliminer à la pédale, les Altig, les Merckx, les Janssen, les Motta. C'est surtout à Gimondi que je veux me mesurer : il vient de gagner Paris-Roubaix et Paris-Bruxelles coup sur coup, et il est temps de mettre les choses au point. Si la course suit son cours normal, c'est dans la côte de Wanne ou dans le mont Theux que j'attaquerai.

Genet, Spruyt et Schleck sont partis devant. Ils n'ont qu'une minute d'avance et ils sont de ceux que l'on rattrape, je roule avec Motta, Merckx et Gimondi.

Stablinski vient de lâcher sur incident mécanique dans la côte de Wanne, dans Theux je n'ai pas pu bouger, en fin de compte, à cause des trois de devant. Je ne voulais pas les prendre sur mon porte-bagages et risquer de me faire battre au sprint à Liège. Il fait une chaleur de four et la chaleur est mon équipière. Je visse un coup dans la montée et je les regarde tous, ils ne sont pas brillants, Altig a mal aux pattes, il n'arrête pas de changer de position, Eddy est trop couché sur son vélo pour être vraiment bien, Motta sautera le premier, il a sa tête des mauvais jours. Reste Gimondi, qui est beau comme une énigme et qui pédale rond. La côte de la Bouquette. Nous y sommes. Sans violence, sans démarrage, rien que par pression pure, j'accélère. Ils se mettent en file derrière moi. J'accélère encore. Merckx lâche, Altig est planté, Motta et Gimondi se regardent une seconde de trop pour savoir lequel des deux bouchera le trou que je creuse. Trop tard pour eux, je suis parti. J'accélère encore, je bascule au sommet et je prends ma position du contre-la-montre. Je suis seul et dans mon jardin, les meilleurs coureurs du monde sont derrière moi, je fonce. Restent les trois devant. Dès que je les aperçois au bout d'une ligne droite, je sais que leur compte est bon. Je les passe à bloc pour qu'il ne leur prenne pas la fantaisie de sauter dans ma roue. Ils n'esquissent pas le moindre geste. J'entre dans les faubourgs de Liège. Je tiens ma course pure, ma victoire exemplaire dans la plus belle des classiques – moi, le coureur de courses par étapes...

Sur le podium, ils viennent tous me féliciter. Ils s'y

connaissent et ils savent que j'ai « fait un truc », comme on dit en cycliste. « Il n'y avait rien à faire », dit sobrement Gimondi. « J'ai les cuisses éclatées », constate Altig.

Les journalistes se précipitent, je suis accablé de questions. C'est alors qu'un petit bonhomme de rien se faufile dans la cohue, écarte les journalistes et vient directement sur moi. Sur un ton de plaisanterie, il me dit : « Alors, monsieur Anquetil, il faudra faire pipi ! » Je n'en ferai rien, cher monsieur.

Le lendemain matin, les journaux vantent l'exploit d'Anquetil, déclarent qu'il est bien le numéro un du cyclisme mondial, que sa performance est inouïe. Mais la machine juridique est en route et au même moment la Ligue vélocipédique belge déclare Anquetil, Altig et Durante hors course pour s'être dérobés au contrôle antidopage obligatoire. Jacques Anquetil n'inscrira pas sa plus belle victoire au palmarès officiel de Liège-Bastogne-Liège.

« Je sais que cette règle a été instituée en Belgique, dit-il, mais j'en ai contesté la validité et l'intérêt dès le premier jour ! Outre que son application ne résout en rien les problèmes du doping, elle est discriminatoire et désobligeante pour un coureur professionnel. Nous sommes des hommes, pas des chevaux, et nous avons le devoir de résister à cette loi qui va à l'encontre de notre dignité, qui favorise la suspicion. »

Le dopage est un mode de vie dont Anquetil ne se défera pas, jamais il ne renoncera à être le maître du jour et de la nuit, le maître de l'intensité, le maître du début et de la fin des fêtes. Sophie, sa fille, raconte même qu'il dopait les poissons rouges. Pour voir. On dit aussi qu'il encourageait tout son personnel à moissonner aux amphétamines pour travailler jour et nuit, achever la récolte en un temps record et passer vite à table tous ensemble pour dévorer le reste des forces. On le dit.

Saint-Étienne bruisse d'une rumeur cycliste. Un copain m'alerte : une course est organisée pour les moussaillons de moins de 12 ans dans une banlieue de la ville. « Un dépistage de mini-sprinteurs », me précise-t-il. J'enfile mon habit d'Anquetil, saute sur ma monture verte et me retrouve au bas d'une route rectiligne qui monte en pente douce entre deux usines. L'idée est de faire sprinter la marmaille, deux par deux en élimination directe, sur 400 mètres. Une ligne est tracée à la craie blanche sur la chaussée : c'est le départ ; la même en haut, c'est l'arrivée. Chacun est propriétaire d'une moitié de route (dans le sens de la longueur), et gare à celui qui passera une roue chez le voisin !

Anquetil n'est ni grimpeur ni sprinteur, mais il relève le défi. Dans les premiers tours, il bat sans forcer des concurrents pas très adversaires, puis de plus en plus adversaires au fur et à mesure que les battus rentrent à la maison. Anquetil arrive en quart de finale et gagne. En demie, il se méfie du grand costaud et doit s'employer jusqu'à la ligne pour le battre d'une petite roue. Il est rouge et il souffle (légère surcharge pondérale ?). Le voici en finale sans avoir eu le temps de reprendre sa respiration.

L'adversaire est de taille, certains murmurent même qu'il ira au Premier Pas Dunlop… Anquetil a tiré la moitié droite de la route, il évite de regarder son adversaire pour se concentrer totalement sur sa course. Il place sa roue sur la ligne, met sa pédale en position de départ et, au coup de sifflet, s'élance, tête baissée. Mon effort pour entraîner le braquet est tel que ma roue arrière, sous la traction féroce de la chaîne, se décentre et vient se bloquer sur la base du cadre. Le vélo freine pile, Anquetil, projeté en avant, se plante le ventre dans la potence. J'ai mal. Furieux, il tape du poing sur le guidon et regarde son adversaire, goguenard, franchir au ralenti, les mains en haut du guidon, les 400 mètres de son triomphe. Anquetil proteste, dépose réclamation auprès des officiels, demande un nouveau départ, fait constater l'incident mécanique. Son vainqueur me regarde, méprisant : « Tu n'as qu'à apprendre à serrer tes ailettes, merdeux ! » (à l'époque, je n'avais pas encore de blocages rapides). Anquetil ne dit rien. Il est consterné. Il va falloir qu'il passe un sacré savon à Pinza d'Oro.

Marche-t-il à la générosité ?

Là, les choses se compliquent.

Spontanément, on jurerait que, chez Anquetil, le calculateur l'emporte sur tout et que le généreux est caché dedans. Il y a du vrai. Lorsque Anquetil donne, c'est qu'il a reçu, ou qu'il compte recevoir en retour. Une chose est sûre, il n'est pas avare, et encore moins de son argent que de ses forces (tous les observateurs placeront, à tort ou à raison, l'avarice dans le camp de Poulidor). Il est un des premiers coureurs, dans le Tour de France, à abandonner toutes ses primes de course à ses coéquipiers. Il sait que sa victoire lui permettra de se rattraper très confortablement sur les cachets des critériums d'après Tour et il crée, en agissant ainsi, des fidélités chez ses partenaires satisfaits. Certains de ses équipiers talentueux gagnent bien davantage à son service que s'ils roulaient pour leur propre compte. Ce modèle de générosité inventé par lui est devenu la règle : tous les maillots jaunes abandonnent désormais leurs gains à leur équipe.

Il sait également imposer ses fidèles aux organisateurs des lucratifs critériums d'après Tour, qui tiennent tous à l'avoir et qui sont disposés pour ce faire à consentir quelques sacrifices en embauchant ses lieutenants.

Nombreux sont aussi les exemples où il sait se mettre au service de ses coéquipiers pour leur permettre d'accrocher à leur palmarès une victoire dans une course secondaire : c'est le plus sûr moyen de s'assurer de leur total dévouement lorsque les grandes épreuves viendront.

L'exemple le plus emblématique est certainement celui de la dernière étape du Tour 61. Cazala a fait une jolie course et s'est montré essentiel dans cette défense acharnée du maillot jaune qu'Anquetil porte depuis le premier soir. Pour célébrer la fin du Tour, le « patron » décide de le prendre sous son aile – ou plus exactement dans sa roue – et le conduit comme une fleur jusqu'au Parc des Princes. Là, il lui abandonne la victoire et l'ovation qui la suit, en grand seigneur du Parc.

Lors de son mémorable Bordeaux-Paris de 1965, il est reconnaissant au modeste Victor Denson de l'aide qu'il lui a apportée dans les moments les plus difficiles du début de course dans la nuit. Il se montre si généreux que Denson lui-même n'en revient pas : jamais il n'a gagné autant d'argent sur son vélo.

Anquetil raconte avoir eu des discussions sans fin et pas toujours amicales avec ses équipiers les plus talentueux, ceux qui auraient pu gagner davantage de courses (mais pas davantage d'argent) s'ils n'avaient pas été à son service – Everaert et Novak, principalement –, parce qu'ils souffraient de rester dans son ombre et de ne pouvoir exprimer leur talent.

« Bon, d'accord, c'est vrai, accordaient-ils, tu as plus de moyens que nous, mais si tu n'étais pas là ?

– Il y aurait Gimondi, Motta, Merckx... Je suis comme Johnny Hallyday ou Adamo et vous, vous êtes mon orchestre. »

Il sait également se montrer généreux avec ses plus valeureux adversaires. Au Giro 66, Motta, qui est en tête, lui demande de ne pas le malmener dans les dernières étapes, il accepte. Au sommet du Tourmalet, Jan Janssen, qui porte le maillot jaune, ne se sent pas au mieux. Il se hisse à la hauteur de Jacques : « Monsieur Anquetil, *piano*, s'il vous plaît », et Jacques ralentit. À Turin, lorsque Lucien Aimar prend le maillot jaune, Anquetil l'embrasse, à la stupéfaction de tous et d'Aimar en particulier...

Lorsque ce sont des équipiers, les partitions sont claires, en revanche cette générosité appliquée aux adversaires est plus complexe et plus ambiguë, et l'orchestre se met parfois à sonner un peu faux. « Oui, confesse-t-il, j'ai acheté des coureurs. »

On peut acheter un homme, une victoire, un coup de main, une équipe entière... Est-ce à prix d'argent que l'équipe Pelforth donne un coup de main dans la descente d'Envalira en 1964, permettant le retour d'Anquetil sur les échappés du matin ? Est-ce à prix d'argent que, dans la dernière étape saignante du Paris-Nice 66, les Italiens se mettent au service d'Anquetil alors que les Peugeot penchent pour Poulidor ? Lorsqu'une équipe ou un coureur n'ont plus rien à gagner, pourquoi ne seraient-ils pas à vendre ?

Anquetil a sans doute retenu la leçon de l'anecdote que Coppi lui a contée quelques années plus tôt : dans une course qu'il tenait à mettre à son palmarès (« à tout prix », pourrait-on dire), il se trouvait largement détaché avec un obscur du peloton qui lui collait aux mollets comme une sangsue. Il répondait à toutes les accélérations et Coppi commençait à s'inquiéter. Discrètement, il lui proposa 1 000 pour le laisser gagner. Le gars ne répondit pas et appuya un peu plus fort sur les pédales. 2 000 ? Rien. 3 000 ? 4 000 ? Coppi pensa que le gaillard se sentait très fort. 5 000 ? Le coureur eut juste le temps de hocher la tête en signe d'accord avant de s'effondrer, épuisé, dans le fossé.

Souvent, en méditant devant mon peloton de plastique ou mes images, j'étais inquiet. J'avais peur qu'Anquetil ne gagne pas. Il n'était pas rassurant. Il ne donnait pas l'impression de solidité et de sérieux d'un Bobet (que j'appelai d'abord Zonbobet, Louis de son prénom). Lorsque j'en parlais avec mon père, je devais convenir qu'il ne montait pas aussi bien les côtes que le petit Charly Gaul. J'étais à mille bornes de comprendre que la lenteur avec laquelle il revenait sur lui dans les cols était un effet de la science et de la connaissance de soi. Une façon de se mettre à l'abri des coups de boutoir chers aux purs grimpeurs. J'aurais tant voulu voir Anquetil lui sauter dans la roue et le planter là, pour lui apprendre à lui démarrer ainsi sous le nez dans les bosses. J'étais novice en stratégie cycliste et Anquetil m'énervait. Ses provocations me faisaient frémir. «Qu'est-ce qu'il raconte encore?» me disais-je. J'avais peur qu'on le mette en prison, qu'on le jette hors du peloton. Mon père haussait les épaules, dubitatif.

Qu'est-ce que le grand public peut espérer d'un cycliste au tournant des années 60? Ce que le petit Paul lui-même en espérait dans son cahier d'écolier: le cycliste doit être un travailleur d'abord et avant tout, davantage ouvrier que patron. L'argent ne doit jamais être au centre de ses préoccupations: il en gagne très peu et les rares qui en gagnent auront la générosité de le cacher. Le cycliste doit souffrir. Depuis l'article d'Albert Londres, dans les années 20, il est un « forçat de la route » et il doit en baver. Pas de fainéants dans le peloton. Pas de plaintes non plus, pas de pluie trop glacée, pas de vent trop turbulent, pas de montagne trop haute : au moindre gémissement, on menace le cycliste de l'envoyer pousser les bennes au fond de la mine. Le cycliste doit promettre toujours de faire mieux la prochaine fois, et cela sans adjuvant. Depuis les aveux des Pélissier, on a découvert que les cyclistes se dopent, mais le public ne veut pas le savoir : les champions ne se dopent pas puisqu'ils sont des champions et les autres ne se dopent pas non plus puisqu'ils n'ont fait que deuxième. Dans la course, le cycliste doit être chevaleresque, beau gagnant et bon perdant, il respecte son adversaire et il sait que la victoire n'a qu'un prix, celui du travail. Dans le cyclisme, c'est le meilleur qui gagne. À la pédale. Pour le public, le cyclisme est une revanche contre les injustices de la vie.

Anquetil casse l'ambiance. La majorité des coureurs jouent le jeu, par bêtise, par habitude, par intérêt ou par conviction, lui va dire *sa* vérité. Il va la dire haut et clair et cela lui vaudra d'être détesté encore davantage. Bien sûr, parce que Anquetil est Anquetil, cette vérité sortant de sa bouche mettra tout en émoi et en branle et jamais plus le cyclisme professionnel ne sera le même. Il y a un avant et un après Anquetil et chacune de ses déclarations prépare une petite révolution dans le peloton.

Robert Chapatte, ancien coureur et nouveau journaliste, aussi malin dans sa seconde carrière que dans la première, lui demande s'il accepterait de courir pour des médailles. Là où n'importe quel coureur du rang parlerait de gloire, de maillots distinctifs, rêverait tout haut de médaille olympique (le vélo n'était pas encore au programme des J.O. à cette époque), Anquetil s'énerve. Il s'énerve froid, comme il sait le faire, se contient, et répond calmement : « Le Grand Prix des Nations, c'est aujourd'hui un million d'anciens francs au vainqueur. Si je le courais encore, comme c'est possible, et si je le gagnais une fois de plus, cela ferait un peu plus de deux heures, ce qui représente du 80 000 anciens francs à la minute. Si cela vous amuse, sachez qu'avec un braquet de 52 × 14, c'est-à-dire développant 7,80 mètres, celui que j'ai utilisé le plus couramment dans le Grand Prix des Nations, chaque coup de pédale rapporte alors un billet de 1 000 anciens francs. »

Ce soigneux compte d'apothicaire fait l'effet d'une bombe. Anquetil court donc derrière l'argent ! Lui que l'on croyait soucieux de gloire et de panache, il compte ses tours de pédale ! Ce n'est pas un vrai coureur, c'est une caisse enregistreuse !

« Cela me paraissait complètement loufoque, sinon stupide, d'aller s'escrimer sur un vélo pour pas un rond, d'être fier d'aller plus vite que l'autre. Parfois certains se viandaient dans des chutes dévastatrices... Oui, je me foutais d'eux et je n'avais aucune envie d'aller faire le couillon sur les routes en leur compagnie. »

En 1967, à l'époque du Tour de France, il étale ses quatre vérités dans quatre articles pour *France Dimanche* titrés avec un sens tout journalistique de la provocation :

« Pourquoi je n'aime pas Poulidor », « Oui, je me suis dopé », « Anquetil accuse » (à propos de la mort de son ami Tom Simpson) et « Oui, j'ai acheté des coureurs ». Certains sont assortis de photos pour le moins évocatrices. Tous les codes sont renversés : le respect de l'adversaire, la lutte antidopage, le respect des organisateurs, la limpidité des enjeux sportifs... Après leur parution, le scandale est tel qu'Anquetil est contraint de raser les murs, il doit même se mettre un moment au vert. Il a cassé le jouet et le peloton a une trouille bleue de ne pas s'en remettre. Il s'en remettra et les questions resteront intactes, mais Anquetil les aura posées. Il s'en serait voulu de ne pas le faire.

ANQUETIL : Inutile de parler à mots couverts. La course la plus dure, la plus terrifiante pour un Français, c'est le Tour d'Italie. J'ai été le premier Français à la remporter. Mais je le dis bien humblement, cette année-là, sans une équipe à toute épreuve, je n'aurais jamais terminé. Et si je n'ai pas remporté le dernier Tour d'Italie, c'est que je n'ai pas pu réunir les fonds suffisants pour acheter une équipe au dernier moment. Quand j'ai pris le départ de ce Tour d'Italie 1967, je disposais d'une équipe complète de dix hommes avec d'excellents éléments comme Stablinski, Novak, Lemeteyer, Den Hartog. Nous courions pour la marque Bic. Dix hommes, ça peut sembler suffisant. Eh bien, croyez-moi, c'est un minimum pour le Tour d'Italie. Car, là, nous étions dix contre cent cinquante. Sans compter tout le reste. Les tifosi qui poussent les Italiens et tirent leurs adversaires par le maillot, les spectateurs qui vous hurlent des insultes sur le bord de la route, les gens qui vous crachent au visage. On parle souvent en cyclisme de l'enfer du Nord, pour moi, l'enfer, c'est le Tour d'Italie. Il y a de tels intérêts publicitaires qu'il est absolument vital que ce soit un Italien qui gagne. La télévision italienne elle-même ne peut pas être objective : si c'est un étranger qui est en tête, les téléspectateurs diminuent du tiers à l'écoute des arrivées. Alors tout est bon : rétropoussettes, écrans de coureurs qui vous obligent à prendre des risques pour passer, coureurs-suicides prêts à se jeter sur vous pour vous précipiter dans un fossé, voire dans un ravin. Mener une course pareille sans équipiers est humainement impossible.

Un jour d'été, en pleine période du Tour de France, je fais une sortie avec deux copains. L'un sera Roger Rivière, l'autre sera Raymond Poulidor et je serai Jacques Anquetil. Nous avons prévu de faire une boucle de 24 kilomètres, mais nous savons tous trois que le vrai affrontement entre champions aura lieu dans la terrible côte de l'Écorchée, qui surplombe Aurec-sur-Loire. Une bosse virageuse de 3 kilomètres avec un terrible pourcentage au départ où seuls les cracks parviennent à faire la différence. Dès le pied, Anquetil attaque dans son style caractéristique de rouleur. Son accélération est puissante, mais il commet l'erreur de prendre le second virage à l'intérieur, là où la pente est le plus forte, et il se fait déborder à l'extérieur par Poulidor et Rivière. Il s'aplatit sur sa machine verte, se concentre, les yeux rivés sur sa roue avant dans un effort maximal, il transpire, s'essouffle, mais ne parvient pas à revenir sur les échappés. Au sommet, il est troisième derrière Rivière, premier, et Poulidor, deuxième. Je suis furieux d'avoir fait perdre Anquetil. Si seulement cette côte avait eu dix kilomètres de plus, on aurait vu. Je m'en veux à mort et je boude. Désormais, je me consacrerai exclusivement à l'effort solitaire. Je suis furieux.

Anquetil est énervant

Anquetil est énervant de toutes les façons : si l'on veut bien considérer que les grands champions possèdent, par l'effet de la nature, de la volonté et du travail, une pincée de secondes d'avance sur les meilleurs de leurs rivaux et une bonne poignée sur le gros du peloton, l'usage qu'ils en font varie considérablement d'un grand champion à l'autre. Merckx, par exemple, joue ses secondes cash ; il est le plus fort et il fait en sorte que cela se sache très vite, tout le temps et partout. Pour ses admirateurs, il est rassurant. Armstrong concentre son avantage sur une ou deux courses dans l'année et sur un ou deux moments stratégiques des courses en question – les moments qui paient : contre-la-montre et arrivée au sommet. Le reste du temps, il contrôle. Il est économe, calculateur, fort et froid. Ceux qui l'admirent assurent qu'il tient ce qu'il promet. Bernard Hinault, lui, gère ses minutes en artiste de la course. Il peut décider de faire valoir son avantage partout et à chaque instant : la course n'a pas de haut lieu et chacun de ses moments peut devenir un enfer si lui le décide. La forme de l'étape devient alors sa volonté et son œuvre. Il est ainsi un des plus beaux fabricants de cyclisme de l'histoire. Anquetil, lui, est énervant. Il fait l'usage le moins rationnel de ses atouts (c'est pour cette raison que Poulidor le bat toujours aux cartes), il se désintéresse de la course, il agace ses équipiers, il laisse passer des chances énormes.

En 1963, le parcours du Championnat du monde n'est pas très accidenté, mais la longueur de la course et la violence des débats ont fait la sélection. Tous les costauds et rien que les costauds sont devant. À quelques kilomètres de la ligne, Anquetil s'arrache au peloton, s'aplatit encore davantage sur sa machine, met du très gros braquet et file en poursuiteur ; il joue la petite pincée de secondes d'avance qu'il possède sur ses rivaux. C'est le moment. La meute ne lui reprend pas un mètre. Soudain, contre toute logique athlétique, il se retourne pour regarder derrière lui, par-dessus son épaule. Il voit le peloton sur la largeur de la route, lancé à fond, et il se dit qu'il n'y arrivera pas, qu'il ne tiendra pas. Une faute de débutant, car chaque cycliste sait que, dans cette situation, on ne se retourne pas, on fonce. Il se relève, se fait rejoindre à quelques centaines de mètres de la ligne, au moment même où les sprinteurs se mettent en ordre de bataille. Tom Simpson lance le sprint par une vigoureuse poussée dans le dos de Van Looy (ce genre de pratique était encore monnaie courante – au sens propre, la télé ne dénonçait encore personne). Van Looy embarque le jeune Beheyt dans sa roue. Ils balaient la chaussée de droite à gauche, bloquant Darrigade au passage, et, sur la ligne, c'est Beheyt qui ose battre l'Empereur d'Herentals d'un bout de roue. Van Looy, qui croyait tenir son troisième titre de champion du monde, est fou de rage. Dans les vestiaires, seul Anquetil peut l'approcher. Les humeurs de crack ne se partagent qu'entre cracks. «Je le paie! hurle Van Looy. C'est moi qui le paie et il vient me battre!» Anquetil tente de l'apaiser, rien n'y fait. Van Looy est hors de lui. Il boxe de fureur le mur des douches. «Et pourquoi tu n'as pas gagné, toi? Pourquoi tu t'es relevé au kilomètre? On était tous à bloc et on te reprenait pas un mètre. Pourquoi? Tu aurais dû. Ta victoire à toi aurait été normale!»

Anquetil est énervant, il entend recevoir toujours tous les honneurs dus à son rang. Au moment de prendre le départ du Grand Prix des Nations, en 1964, il sent que quelque chose de bizarre se trame derrière son dos: les mécanos fuient son regard, on répond évasivement à ses questions. Il découvre soudain que Francis Pélissier, son entraîneur d'alors, a décidé de suivre Hugo Koblet plutôt que lui pendant la course. La voiture suiveuse est utile en cas de pépin mécanique ou pour prodiguer des informations chronométriques et des encouragements dans les passages difficiles. Anquetil aura à ses trousses celle de Jacquot, le mécano. Il est hors de lui. Que Pélissier puisse suivre Koblet lui semble une haute trahison. La confiance totale de Pélissier lui est aussi indispensable que les petites ruses qu'il sait déployer pour donner un invisible coup de pouce à son coureur en temps utile. Le petit coup d'accélérateur au moment du ravitaillement, lorsque son coureur est accroché pour un instant à la portière de la voiture, par exemple, l'abri fugitif qu'il accorde au détour d'un virage, le coup de gueule opportun pour relancer le rythme...

Anquetil ressent cet abandon comme un coup de cravache. Il va donc galoper. Au kilomètre 25, il a 10 secondes d'avance, au 39, 25, à Rambouillet, 4 minutes ! Là, il se retourne et voit le museau bordeaux de l'Hotchkiss de Pélissier qui fond sur lui dare-dare et vient enfin se caler dans sa roue, à *sa* place.

Lorsqu'il passe la ligne d'arrivée, la fureur d'Anquetil n'est toujours pas tombée. Le record de l'épreuve, lui, l'est. Koblet est aux pelotes. Anquetil refuse les félicitations de Pélissier et il le chambre sans ménagement.

Le soir même, Anquetil envoie son bouquet de vainqueur à Mme Pélissier, qui en conclut : « Il est curieux, ce garçon, on ne sait pas ce qu'il pense. » Vraiment ?

Anquetil est énervant aussi parce qu'il sait très bien mettre en route la machine à perdre. En 1958, dans Paris-Roubaix, il en administre l'éclatante preuve. Cette course est longue, difficile, piégeuse avec ses tranchées mal pavées, avec ses trous, ses bosses, sa trouée d'Arenberg, son carrefour de l'Arbre, son climat incertain, sa poussière, sa boue, ses vents du nord. Pour battre Van Looy et sa « garde rouge » sur un parcours comme celui-ci, il faut mettre toutes les chances de son côté. Ce dimanche-là, Anquetil a de bonnes jambes et un plan : il va partir tôt pour se donner de la marge avant les secteurs pavés. Il flingue dès le soixante-dixième kilomètre et se retrouve en tête avec dix-sept autres coureurs, dont les amis André Darrigade, Jean Stablinski et Jean Bobet, qui ne lui refuseront pas un coup de main le cas échéant. Comme il est saignant, il prend des relais de plomb et élimine petit à petit ses adversaires, mais également ses meilleurs partenaires, et se retrouve seul avec deux Belges qui n'ont aucun intérêt à l'aider. Sans l'appui de ceux qu'il n'a pas su ménager, il se met à perdre du temps. Le peloton revient à 1 min 15. Là, coup de malchance, il crève alors que sa marge de sécurité est déjà trop faible. Il revient devant au prix d'un effort un rien désespéré et, à bout de forces, se fait reprendre par le paquet à 4 kilomètres du vélodrome. Ce sont soixante-dix hommes qui entrent ensemble sur la piste pour le sprint et Anquetil se retire des débats, n'étant pas adepte des sprints massifs. Van Daele gagne. La conclusion d'Anquetil relève davantage de l'humeur que de l'analyse : « Les courses d'un jour sont des loteries, elles ne m'intéressent plus », et il ne courra plus jamais Paris-Roubaix. En 1981, Bernard Hinault veillera, lui, à la gagner de la plus belle façon avant de dire haut et clair que cette course-loterie est une « connerie ».

Mais cela n'empêche pas quelques regrets tardifs : en 1973, lors du même Paris-Roubaix, Anquetil, alors conseiller technique à la télévision, suit Merckx dans une voiture de presse. Merckx est seul et fonce vers la victoire. Sur les pavés gras, il glisse, tombe, se relève et repart. Anquetil se penche en avant et confie au journaliste assis au volant : « Vous voyez, lui, au moins, a fait ce que je n'ai pas su faire en 1958. Il s'est échappé en prenant une marge de sécurité. Il n'a pas été radin dans l'effort, il n'a pas calculé au cordeau. Si j'avais fait comme lui, j'aurais épinglé Paris-Roubaix à mon palmarès. »

Lorsque les choses ne tournent pas selon ses plans, Anquetil sait aussi enclencher la machine à faire perdre. Dans le Tour 59, la victoire semble vouloir choisir le camp d'Henry Anglade, ce petit Napoléon malicieux et autoritaire qui court pour une équipe régionale et qui a pris la tête de la course sous les nez prestigieux d'Anquetil et Rivière. Tout sauf ça ! L'idée qu'un petit Français puisse faire sauter les deux grands rivaux du moment n'est simplement pas supportable. Surtout qu'il a choisi Piel pour manager, le rival de Dousset, qui manage les autres…

Il pleut des cordes grises et le programme est colossal : cols de la Madeleine, de l'Iseran et du Grand-Saint-Bernard, les cols les plus hauts et les plus froids sur la route d'Aoste. Le grand Bobet lui-même va monter à l'agonie puis abandonner son vélo à jamais sur le toit du Tour, au sommet de l'Iseran, en immense champion épuisé au comble de sa peine. Oublieux de ce passage de témoin, un groupe est devant qui a lâché les grimpeurs, Anglade y figure avec Gérard Saint, Anquetil et Rivière. Dans la vallée, il devient manifeste que les deux derniers se planquent dans les roues et refusent de faire leur part du travail. Chacun rejette sur l'autre la responsabilité de leur attitude : « C'est lui, il ne veut pas rouler… » En vérité, ils sont secrètement de mèche et ralentissent l'échappée au maximum pour favoriser le retour de Federico Bahamontes, l'Aigle de Tolède, qui, à leurs yeux, fera un bien meilleur vainqueur que ce jeune Anglade.

Personne ne s'y trompe et à l'arrivée du Tour, au Parc des Princes, à Paris, Anquetil se fait copieusement siffler. Rentré en Normandie, il s'achète un bateau pour naviguer sur la Seine et le baptise *Sifflets 59*. C'est sa façon à lui de soigner sa popularité.

Anquetil est énervant parce que, lorsqu'il a une idée dans la tête, il va au bout, quel qu'en soit le tarif. En 1961, il veut réaliser son rêve de gagner le Tour de France en portant le maillot jaune de bout en bout. Le défi est de taille, car il n'est pas du tout dans son tempérament de défenseur. Cette façon de courir suppose une vigilance de tous les instants, un goût de la course en tête, une attention aux mouvements des autres qui ne sont pas dans la manière d'Anquetil. Il s'agit donc d'abord et avant tout d'un défi lancé à lui-même. Une mise à l'épreuve.

Il s'assure d'une bonne et fidèle équipe et tous se mettent au travail dans le même objectif. Anquetil frappe d'entrée dans le contre-la-montre du premier jour et prend 3 minutes à tout le monde. Ensuite, l'équipe a pour mission de tout verrouiller. Après quelques étapes, la presse et les organisateurs commencent à la trouver mauvaise, ils préféreraient de loin une course de mouvements et de rebondissements. C'est chose faite dans l'étape de Chalon-sur-Saône, où une échappée, enfin, prend 17 minutes d'avance sur le peloton. Le classement général va exploser. Là, Anquetil, refusant toute aide, va faire ce qu'en jargon cycliste on appelle un « truc » : il se met à l'avant du peloton et prend, sans se retourner, un relais de 30 kilomètres ! Derrière lui, c'est la panique, les coureurs, ne pouvant suivre le train, sautent un à un. À lui seul, Anquetil met les échappés à raison, leur reprend les 17 minutes et garde son maillot jaune. Dans les Alpes, où on espère un sursaut des grimpeurs, une lourde chute de Charly Gaul brouille les cartes et Anquetil conserve son paletot. Arrivés aux Pyrénées, les observateurs s'attendent tous à une rude bataille, mais Charly Gaul semble résigné : « J'ai essayé dix fois de lâcher Anquetil, explique-t-il, et dix fois il m'a répondu par un train plus soutenu. Je ne démarre plus, je "téléphone" mes attaques, j'ai vieilli. J'ai vieilli ! » Les Pyrénées sont escamotées à leur tour et Jacques Goddet, le directeur de la course, est furieux : « Il me bloquait les étapes de cols, en faisant un faux train devant que personne ne venait contester. » Outrage ultime, il traite Anquetil et ses adversaires de « nains de la route », tandis qu'Antoine Blondin lui-même traite Anquetil, son ami, de « gérant de la route »... Anquetil gagne le contre-la-montre en suivant et, puisqu'il a obtenu ce qu'il voulait, il offre la dernière étape à son équipier Cazala en l'entraînant dans sa roue jusqu'au Parc des Princes...

Enfin, Anquetil est énervant parce qu'il a de la chance. On mesure aussi les champions à l'opposition qu'ils ont à vaincre et, si Anquetil a eu de fort valeureux adversaires tout au long de son parcours, on ne peut pas dire qu'il ait été exactement confronté à un autre super crack de sa trempe. Sa carrière s'est déroulée entre le Bobet vieillissant et le jeune Merckx. Il a eu toutefois à affronter de très grands spécialistes : Bahamontes, même âgé, était encore un redoutable grimpeur, mais il descendait très mal et n'est jamais parvenu à hausser son niveau dans les contre-la-montre. Charly Gaul était en quelque sorte un contraire d'Anquetil, il grimpait comme un grimpeur, par à-coups redoutables, il adorait la pluie et le déluge, mais s'il était imprenable sur une montée sèche ou une grosse étape de montagne, il tenait difficilement la distance d'un grand Tour. Van Looy, lui, était un champion d'exception, mais il ne jouait pas sur le même terrain, ses limites en montagne le destinaient plutôt aux courses d'un jour qu'Anquetil boudait ; il était un modèle à suivre dans son fonctionnement, mais il était prenable. Ercole Baldini et le sculptural Rudi Altig étaient les seuls à pouvoir l'approcher dans les courses en solitaire, parfois à le battre, mais ils avaient leurs limites dans la haute montagne et passaient moins bien les cols que lui. Reste le cas de Poulidor, qui était sans doute le plus complet, le plus capable de gagner, mais à qui il manquait certainement l'âme terrible et la vraie complexité d'un champion.

Pour son premier Tour de France, en 1957, Anquetil bénéficie d'un concours de circonstances très inattendu.

Il a fait savoir, sûr de sa puissance, qu'il préférait courir dans une équipe régionale avec son ami Darrigade plutôt qu'aux côtés de Bobet en équipe de France. Les deux hommes ne s'aiment pas beaucoup et l'idée de rouler l'un pour l'autre ne les enchante guère. Mais soudain c'est un coup de théâtre : Bobet, lassé par un Tour d'Italie usant, décide de ne pas faire le Tour de France. Son renoncement en effare plus d'un. Mais la porte est entrouverte et le jeune Anquetil saura la pousser. Roger Walkowiak, qui a gagné le Tour précédent avec un peu de chance, ne peut pas s'imposer comme leader naturel. Anquetil se retrouve donc aux manettes avec une équipe en pleine forme prête à en découdre sur tous les terrains. Il fait une chaleur de plomb et, dès la deuxième étape, Charly Gaul, son plus redoutable adversaire, celui qui aurait pu lui voler les étapes de haute montagne, abandonne. Entre Besançon et Thonon-les-Bains, c'est au tour de Bahamontes, l'Aigle de Tolède, qui le distance régulièrement dans les cols, de s'asseoir sur le talus et de renoncer sans autre explication. On le supplie de repartir, pour sa mère, il dit non, pour sa femme, il dit non, pour l'Espagne, il dit non, pour Franco, il dit toujours non. Il reste assis sur ses chaussures et attend que l'orage passe. Son directeur sportif, Luis Puig, finit par céder et Federico monte dans la voiture-balai... La route est ainsi dégagée et Anquetil peut faire son numéro sans craindre les grands grimpeurs. L'équipe de France en rajoute et, malgré une alerte dans l'Aubisque, Anquetil remporte, à 23 ans, son premier Tour de France.

L'année 1960, également, est exemplaire de cette chance qui le poursuit, elle fait littéralement le vide autour de lui : Bobet et Geminiani se retirent définitivement du peloton, le prometteur Gérard Saint se tue en voiture et, surtout, Roger Rivière tombe dans la descente du col du Perjuret, au cœur des Cévennes, pour ne plus jamais se relever. C'est certainement de lui que serait venue la plus farouche opposition : détenteur du record de l'heure, Rivière était un rouleur hors pair qui était parfaitement capable de franchir les montagnes. Le Tour de France lui était promis à lui aussi, mais Anquetil ne l'aura pas eu longtemps comme adversaire.

La deuxième fois que j'ai vu Anquetil, je ne l'ai pas vu, je l'ai pisté. Mon père et moi sommes partis sur sa trace. Nous étions en 1961, j'avais 14 ans, et il avait donné aux journalistes l'année précédente une description si apocalyptique de sa montée du col du Gavia, pendant le Tour d'Italie, que mon père avait aussitôt décidé que nous devions l'escalader à notre tour, pour voir. Anquetil avait décrit un sentier de mules taillé à flanc de montagne à même la glaise, pas goudronné, sans parapet, voué aux glissades et aux vertiges. Il l'avait décrit sous la pluie, transformé par la grâce des éléments en ruisseau de boue, dangereux, avec la paroi d'un côté et le vide de l'autre. Il avait décrit ces tifosi de malheur qui poussaient Gastone Nencini du meilleur de leurs forces et qui, les pieds collés dans la boue, l'abreuvaient, lui, de menaces et d'insultes. Les journalistes qui connaissaient cette région d'apocalypse avaient ajouté que, dans le coin, rôdaient des ours... Il n'en fallait pas davantage pour aiguiser l'appétit cycliste de mon père, pas davantage pour que, l'été suivant, après une fastidieuse approche en voiture, je saute dans sa roue et que je monte, par temps sec cette fois, les 20 kilomètres de route en terre mal battue jusqu'à 2 618 mètres d'altitude, bataillant contre le sable et les cailloux dans quoi ma roue arrière patinait, luttant contre le pourcentage énorme (22 %!) de ce chemin de chèvres, le visage poudré, la gorge parcheminée, organisant à coups de pédale la vengeance du Grand Jacques. J'en ai bavé, c'est sûr, mais en consolation et à ma grande satisfaction, je dois confesser que je n'ai pas vu l'ours. Entre Anquetil et moi, un lien s'était resserré dans l'effort partagé. Nous étions plus proches, j'avais mûri et le temps était venu de percer d'autres mystères. Si Anquetil aimait passionnément la solitude, il n'était pourtant pas seul. J'étais là désormais, et je découvris qu'autour de lui il y en avait bien d'autres...

Drôles de couples,
curieuse bande

« Dès que je franchis les frontières du petit cercle d'amis qui est le mien, tout contact humain avorte », affirme Jacques Anquetil. De son côté, Janine affirme : « Il ne pouvait pas rester seul. » Force est de constater un paradoxe que Jean Bobet souligne davantage : « Il y aura toujours quelque chose d'insolite dans la vie miraculeuse de Jacques Anquetil, quelque chose qui le rend inaccessible à tous, adversaires, public et, sans doute même, amis. »

J'aurais voulu être l'ami d'Anquetil. Il aurait mis sa main sur ma tête et il m'aurait donné une casquette, une photo avec sa signature. J'aurais fait un tour, assis en travers sur le cadre de son vélo, entre ses bras. Il m'aurait donné son maillot jaune et serait parti vers son hôtel, torse nu, à moitié bronzé, marchand comme un canard. Mon ami Anquetil.

J'aurais été aussi l'ami de Mme Anquetil, mais je lui aurais dit « vous » et j'aurais fait des siestes à l'arrière de sa Mercedes pendant les longs ennuis des étapes de plaine.

Toujours Janine conduit

Janine, dite Nanou, est entrée dans la vie d'Anquetil par une porte qui claque. Elle était l'épouse de son meilleur ami, son mentor, son médecin, le docteur Boëda, de Rouen. Elle avait deux enfants, une fille et un garçon, elle avait sept ans de plus que lui (elle en avouait deux) et elle ne l'aimait pas. Ce gamin blond prétentieux qui s'incrustait chez elle lui tapait sur les nerfs. Ses gosses, Annie et Alain, en revanche, l'adoraient et voulaient partout le suivre et l'accompagner, comme une sorte de grand frère génial.

Il était là, il traînait dans la maison, encombrant pour ses hôtes, sans doute aussi encombré de lui-même. Plus visible qu'attachant, sans doute plus proche du docteur et des enfants que de Janine. On dit même que Janine conseillait au docteur de s'occuper davantage de ses patients que de ce cycliste blondinet. On dit.

Et puis, un jour de vacances dans le Midi, Janine, qui est seule avec ses enfants, invite Jacques, de passage. Il accepte, puis se rétracte car on l'invite par ailleurs et il préfère cette nouvelle proposition. En arrivant à sa soirée il trouve... Janine. Cela aurait pu dégénérer en soufflet, en remarque ironique, en bouderie. Au contraire, ils passent la soirée ensemble, repartent ensemble, serrés l'un contre l'autre pour ne plus se quitter. À quelque temps de là, Janine fuit de chez son mari en chemise de nuit dans un camion d'emprunt, les déchirements commencent et l'amour s'accroche. Il sera en acier.

Pour le jeune Anquetil, Janine est un trophée et une aubaine.

Janine est une ancienne athlète, elle sait, elle devine. Elle a été infirmière aussi et ceci explique peut-être cela. Elle pèse son champion au poids de l'amour mais aussi au poids du talent et des singularités. Il n'est pas un coureur comme les autres, il ne sera pas un homme comme les autres, elle saura l'accompagner dans la victoire, elle saura l'obliger sans le contraindre, elle en est amoureusement sûre. « Autant que moi, elle a besoin de mes victoires. Je ne suis pas seulement son mari, je suis son champion », dit Jacques. Et il ajoute : « Elle a même, au début, voulu en faire trop. » Aurait-elle voulu pédaler ? Mais qui alors aurait conduit ? Je suis personnellement reconnaissant à Mme Anquetil de nous avoir peaufiné un aussi beau champion.

Ils forment un couple terrible. Anquetil impose Janine partout. Il reconnaît que ce n'est pas toujours facile avec ses directeurs sportifs et les autres coureurs. Le peloton tient les femmes à distance, elles sont réputées semeuses de désordre, elles n'ont rien à faire dans ce peloton de mâles. Le préjugé est tenace et Anquetil doit lutter pied à pied pour faire la place de Janine. Il ne transigera pas et, comme il est Anquetil, Janine s'implantera. Elle en impose au milieu par sa beauté et par son assurance. Elle ressemble à Martine Carol, s'habille chic, sa photo est bientôt dans tous les magazines, on recherche ses avis et ses conseils. Elle a dompté le lion.

Jacques reconnaît publiquement qu'il lui doit beaucoup. « Elle m'a redonné un goût nouveau de vaincre. Elle a eu cet étonnant pouvoir. »

Janine ancre Jacques dans son don. La part de doute, de rébellion qu'il manifeste à l'égard du vélo, elle va non pas la contrer, ce qui serait catastrophique, mais la canaliser, l'analyser, la comprendre et en tirer le meilleur. Elle est tout entière dévouée à Jacques, mais, secrètement, elle est du côté du vélo.

Être femme de cycliste et vouloir l'être au maximum, c'est accepter de prendre la route. Toujours Janine conduisait. La Chambord d'abord, la Mercedes ensuite, la Mustang, la Thunderbird peut-être, mais toujours elle conduisait. Leur amour était automobile. Nanou n'était pas du genre à attendre le retour de son marin des routes. Elle voulait partager pleinement cette vie de champion. Le bon argent se payait en kilomètres au temps des critériums, route de nuit, route de jour, la minute d'immobilité se payait cher. 80 000 kilomètres de voiture, de course en course, à caser en deux mois de critériums après le Tour. À 100 à l'heure avec la même précision que la SNCF. « Nous vivons sur les routes, la nuit. La voiture devient notre maison. J'y dors, j'y prends mes repas, sandwichs et pêches le plus souvent. Janine en embarque des kilos chaque jour, et nous roulons, en vrais nomades du sport cycliste. »

Jacques cependant dort assis. Il a appris à dormir assis parce qu'il a mal au cœur lorsqu'il s'allonge. Il prépare sa course du lendemain, son menu du soir, nourrit son rêve de fermier, puis de châtelain. Là, il ne pense pas directement à l'argent. C'est encore Janine qui s'en chargera. C'est elle qui, pendant la course, ira chercher les enveloppes pleines de billets auprès de l'organisateur, celle de Jacques – souvent la plus dodue – mais aussi celles des autres, les amis, les Stablinski, les Altig, les adversaires parfois. Janine veille, elle conduit, elle compte, elle accompagne. Elle assure aussi le spectacle. Sur une photo, on la voit, magnifique en short blanc, tendre le genou à Jacques pour qu'il signe confortablement un autographe ou un contrat ; elle est son bureau, elle est sa muse. Leur couple est si perfectionné qu'il est inséparable. Ils ne s'écartent l'un de l'autre qu'au moment où Jacques doit pédaler.

Tour d'Espagne 1962. Janine est restée à la maison, mais bien vite elle va devoir conduire, son amour est toujours automobile. Altig et Stablinski ont cassé deux fourches, il n'en reste plus que deux en réserve pour toute l'équipe et c'est peu. Les bidons fournis par l'organisation espagnole fuient (oui, oui). Les coursiers manquent de casquettes et de boyaux et, pire que tout, Jacques n'a plus de beurre demi-sel et plus de son précieux pain d'épices. Un coup de téléphone et Janine conduit. Elle fait les provisions, charge la voiture à Rouen et traverse la France du nord au sud dans la nuit, puis l'Espagne…

Voici ce que Stablinski, l'équipier de Jacques, dit d'elle : « Janine, son épouse, c'est quelqu'un aussi. Elle a une résistance au volant qui n'est pas loin de valoir celle de Jacques à vélo, et c'était en déplacement une organisatrice hors de pair, pour faire et défaire les valises, découvrir les bons hôtels et les bons restaurants et nous faire respecter les horaires, ce qui est primordial. Elle aime beaucoup Genia (Mme Stablinski), mais au bout de trois ou quatre jours de cette vie Genia criait grâce et demandait à rentrer à la maison. »

S'il le faut, pour conduire davantage, Janine se dope à la Corydrane. Comme son mari, elle efface la route et la nuit.

1965. L'exploit est accompli, l'enchaînement diabolique Dauphiné Libéré – Bordeaux-Paris est derrière lui. Le public du Parc des Princes a fait une ovation à Jacques, on lui a donné son second bouquet en vingt-quatre heures, on l'a interrogé, congratulé. Il a remercié toutes et tous, il a fait un clin d'œil complice à Geminiani, heureux de sa bonne farce, et maintenant il est dans la voiture. Toujours Janine conduit, et il pleure. Il pleure de fatigue, il pleure de grande joie, il pleure parce qu'il a senti pour la première fois de l'amour passer entre le public du Parc et lui. Un sentiment neuf, étrange, malgré lui. « J'ai l'impression d'avoir fait quelque chose d'important », confie-t-il à Janine entre deux sanglots. Bientôt sa tête dodeline et il s'endort. Depuis deux jours et deux nuits, il a perdu l'ordre du sommeil. Son corps est brisé. L'obscurité mange le paysage autour de la voiture ;

encore une heure de route vers Rouen et Janine toujours conduit.

Un autre vendredi en début de saison : devant elle, Janine voit le capot de la voiture, elle voit l'étoile Mercedes qui brille au bout et qui s'incruste dans les fesses de Jacques. Il pédale. Il a tenu à se mettre devant, cette fois. Il veut regarder le vent en face et que la voiture le pousse à rouler plus vite que lui-même. Janine a ces finesses d'accélérateur qui savent exactement lui faire mal au bas du dos. S'il traîne en route, elle l'écrasera.

Une autre fois, Jacques est derrière le coffre, protégé du vent. Janine accélère à 50 et Jacques suit. En cas de danger, il n'a pas d'autre moyen que l'amour pour communiquer avec elle. Dans le cockpit, elle a l'amour aussi, mais en plus l'exigence et le sens du tempo anquetilien. Elle va lui faire mal exactement comme il a besoin d'avoir mal pour progresser.

Même s'il est bien entraîné, elle a peur : « Je n'aime pas cette attente, j'ai fui l'hôtel des Ford. Je ne peux pas rester près de Jacques avant le départ d'une course contre la montre, c'est au-dessus de mes forces. J'appelle ça la "veillée". C'est un moment de tension insupportable. Je sens que tout bout à l'intérieur de lui. Il ne tient plus en place, s'inquiète de tout, de son vélo, du ciel et du vent qui peut changer d'une minute à l'autre. De toute façon, cette étape contre la montre ne l'inspire guère. C'est un parcours sur mesure pour Poulidor et Jacques va être battu, c'est sûr. »

Jacques est reconnaissant. Il mesure exactement ce qu'il

doit à sa femme. Il le dit : « Jamais je n'aurais pu obtenir d'un chauffeur ce qu'elle a fait et enduré : 100 000 kilomètres par an, des étapes de 500 bornes en moyenne, des itinéraires impeccables, jamais d'erreur, jamais de retard, elle m'a toujours amené à bon port. »

Parfois aussi, la notoriété aidant, Janine conduit pour elle-même. Le long des routes du Tour, elle se fait ambassadrice d'un parfum, d'une eau de toilette, d'une marque de mode. Elle a la beauté pour cela, elle a la confiance des magazines et elle a parfaitement compris ce que le monde du vélo pouvait apporter de notoriété aux marques extra-sportives. Le temps où les cycles La Perle s'affrontaient aux Bianchi est bien révolu, les coureurs (et leurs compagnes) deviennent les ambassadeurs du glamour et du chic.

Toujours Janine porte les valises. Elle ne supporterait pas que quelque chose dont Jacques pourrait avoir besoin disparaisse.

Toujours quand Jacques fait la course Janine dort. Le plus souvent elle dort sur le siège de la voiture, parfois dans une chambre d'hôtel. Une demi-heure avant l'arrivée, elle s'éveille pour aller chercher l'argent auprès des organisateurs et applaudir.

Le pire moment de l'année pour elle est le Tour de France : trois semaines sans conduire, enfermée à la maison, le transistor à l'oreille. Elle bénit le jour de repos lorsqu'il y en a un. Elle peut alors traverser le pays pour rejoindre Jacques à la pause et passer ce jour avec lui.

Le lieutenant

J'ai mis très longtemps avant d'accueillir Jean Stablinski dans mon peloton en plastique et j'ai eu tort. Malgré ses innombrables maillots distinctifs, il me semblait invisible, comme s'il gagnait toujours en passant sous les bras des cracks, à l'improviste. Il ressemblait un peu aux mineurs que je croisais en ville : une gueule noire, un ténébreux. J'avais du mal à voir qu'il était ardent.

Jean Stablinski est un coureur libre. Libre de ses mouvements, libre de ses paroles. Il est rapide, il est volontaire, il sait gagner. Il est si libre qu'il peut parfaitement se mettre au service d'un leader lorsque son esprit de liberté le commande. Il est un coureur professionnel qui compte et qui sait compter. Anquetil regarde avec envie le maillot de champion du monde qu'il a adopté pour un an afin de se changer de ses innombrables maillots de champion de France. C'est un coureur d'un jour redoutable.

Sur son vélo, il a l'élégance invisible des rusés : petit, discret, voire secret, il roule dans votre ombre et gicle à l'instant même où vous n'allez pas le supporter. On jurerait qu'il est à l'intérieur de vos jambes et qu'il connaît exactement le moment où vous allez souffrir.

Il aime et admire Anquetil sans ambiguïté et pour de bonnes raisons : « Travailler pour un leader tel que Jacques Anquetil, c'est un plaisir en même temps qu'une assurance de profit. » Il ne cache pas ses ressorts, aussi, lorsqu'il dresse un rare portrait de celui dont il fut le plus brillant, le plus dévoué et le plus infidèle lieutenant, il mérite d'être écouté. Selon lui, si Anquetil traîne en fond de peloton, ce n'est pas par indifférence, c'est parce qu'il a les moyens de remonter en tête lorsqu'il décide de le faire. Selon lui, Anquetil n'a jamais un mot négatif à l'égard de ses équipiers, même quand ils le cherchent comme Pierrot Everaert savait si bien le faire. Selon lui, si Anquetil se désintéresse parfois de la course en tête, c'est parce qu'il a confiance en ses équipiers. Selon lui, enfin, Anquetil est un leader confortable parce que, si ça chauffe vraiment trop fort devant, il est capable de se replacer en tête, d'accélérer un bon coup et de remettre de l'ordre dans la maison, au grand soulagement de ses équipiers. Le portrait qu'il dresse du coureur est lucide, celui qu'il dresse en peu de mots de l'homme est fin : « Ce n'est pas un garçon tellement facile dans la vie courante. Il est beaucoup plus soucieux qu'on ne le pense. La décontraction ne vient qu'après la bataille, pas avant. » Il insiste sur les prétendus excès alimentaires de Jacques en suggérant que ce sont des faits de course. Il s'agit de guerre psychologique : le homard thermidor est une arme contre les adversaires au régime et du pain bénit pour les journalistes.

Anquetil joue souvent un rôle de personnage mystérieux, et quand il ne le joue pas il reste un mystérieux personnage. L'équilibre de la relation professionnelle semble facile à trouver pour Stablinski. Les relations personnelles avec l'homme surprennent et troublent. « Jacques ne se lie pas facilement, explique-t-il, mais quand c'est acquis, cela devient exclusif. Il faudrait être toujours avec lui. Il a l'amitié exigeante et parfois intolérante. » Ce fait le gêne. Ils étaient pourtant si nombreux ceux qui frappaient à la porte du cercle fermé du Maître, les aspirants au clan. Stab, lui, trouve que c'est trop et garde quelque liberté. L'excès d'intimité pouvait être un risque, Jacques pouvait être un ami inconfortable. Il parlait rare et sec, il chambrait facile. Le terrain de la conversation avec lui ne paraissait pas toujours très stable et on ne savait pas trop sur quel pied il dansait. Il avait souvent un petit air de se moquer qui tenait les autres à distance. Il pouvait se montrer parfois grossier. Jean Bobet, un intellectuel dans le peloton, qui possédait une licence d'anglais qui aurait dû faire de lui un professeur, me raconte qu'un jour, en ayant marre, il attrapa Anquetil et lui dit : « Arrête de répéter tout le temps "ça me fait chier", c'est malpoli. »

Anquetil était un tel mélange d'assurance et de doute, de certitude et de tourment qu'il était bien difficile à comprendre. Le monde entier était sommé de l'admirer, il faisait pour cela des exploits admirables, mais bien peu nombreux étaient ceux autorisés à entrer dans son intimité. Les élus avaient la certitude d'appartenir à un monde privilégié, une sorte de cour, et ils cédaient très vite aux exigences amicales de Jacques tant elles étaient fortes et parcimonieusement distribuées.

Anquetil a peur des hordes et des foules. Quelque chose en lui est irréductiblement timide, quelque chose est profondément solitaire. On le décrit pourtant comme fidèle,

103

généreux, confiant. Mais toujours exclusif. Trop sans doute, puisque très tôt il fait figure de chef de bande, de centre d'un microcosme fermé. C'est le miracle des jambes de Jacques Anquetil que de permettre à une petite bande de journalistes, de coureurs, de suiveurs, de vieux copains, d'être arrogante et même méprisante quand elle le veut. Vu du dehors, le clan Anquetil fait un peu peur. Ceux qui ne peuvent pas en être lui accordent volontiers des menées maléfiques, des fonctionnements de mafia. Les vieux copains, eux, y trouvent du confort, de bonnes tables et de la confiance, ils participent de la réussite de leur vieil ami, les journalistes du premier cercle y gagnent quelques scoops, certains se retrouvent en affaires avec lui, les coureurs de sa bande savent qu'ils seront bien traités. Jacques cependant pédale et semble vouloir donner à chacun une place particulière, une fonction. Parfois lui seul la connaît, d'autres fois elle est manifeste. C'est selon. Entre les membres du petit groupe, il peut y avoir des engueulades, des tensions, des brouilles, mais Jacques a posé au centre de la relation une générosité et une fidélité qui remontent souvent à l'enfance et dont il ne se départira jamais. De leur côté, ses amis se réunissent encore aujourd'hui sur sa tombe, chaque novembre. C'est dire.

Les différents membres de cette bande influent différemment sur Jacques, certains sont des copains de divertissement, des compagnons de virée. D'autres, en revanche, sont d'authentiques compagnons de route. Parmi eux, il y a deux hommes à qui Anquetil a carrément et successivement confié une tranche de son destin. Deux hommes qui ont décidé de sa vie et de ses choix, comme Janine l'a fait par ailleurs. Deux hommes qui l'ont poussé aux fesses, et pas seulement au sens propre. Ce que Janine a fait par amour, les deux autres l'ont fait par amitié – ce qui ne pouvait pas nuire non plus à leurs intérêts. Ces deux hommes sont évidemment très différents l'un de l'autre et la qualité de la relation entre Jacques et eux était paradoxale. On ne saurait s'en étonner.

Darrigade

Il m'arrivait de jouer à me faire peur, de me dire que, brusquement, je n'aimais plus Anquetil. Alors, aussitôt, j'aimais Darrigade. Il m'arrivait même, lorsque j'aimais Anquetil sans partage, d'aimer aussi Darrigade, surtout lorsque nous nous défiions au sprint avec les copains. Durant nos promenades, chaque fois que nous approchions de l'entrée d'un village l'un d'entre nous hurlait « Pancarte ! » et le sprint était lancé. Le premier à la pancarte avait gagné le droit de se moquer des autres. Là, très fugitivement, je suis Darrigade.

Il faut dire que Dédé Darrigade est un coureur solaire. Blond, l'œil clair, costaud et félin, aussi joueur que gagneur. Il a cinq ans de plus qu'Anquetil, mais il est de sa génération. Il incarne la jeunesse et l'insouciance cycliste d'Anquetil : « Nous avons été garçons ensemble. » Il est le modèle des années joyeuses, des victoires faciles, des triomphes de célibataires.

Lorsque Anquetil est arrivé dans le peloton, Darrigade l'a immédiatement repéré, il a vu le talent, le don, l'insolence, mais aussi la verdeur insouciante, le manque de sérieux dans le jeu et le manque de ruse dans la bataille. Comme il est lui-même un très grand champion, il a reconnu le génie parce que l'admiration a cours aussi dans le peloton. Darrigade a décidé qu'il offrirait en douce au jeune Anquetil le plomb qui lui manque pour réaliser ses promesses. « En outre, précise-t-il, il parle peu et moi énormément, aussi nous sommes-nous tout de suite bien entendus. »

Anquetil n'a rien à craindre du coureur Darrigade. Leurs talents sont strictement complémentaires. Réunis, ils auraient fait le plus grand cycliste de tous les temps. Le talent de Dédé s'exprime dans les 500 derniers mètres de la course, ceux-là mêmes qu'Anquetil déteste. Les 500 mètres du plus grand risque, qui sont ceux aussi où se sculptent les palmarès les plus abondants. Dédé appartient à la caste des sprinteurs. Anquetil admire son palmarès : il a gagné vingt-deux étapes du Tour de France, il a été champion du monde en 1959, la liste de ses victoires est longue comme le bras. Dans la phase finale d'une course, il est irrésistible. Il fait l'admiration de tous par sa façon de frotter, de se couler dans le moindre trou à l'intérieur du peloton, de lire la course comme personne. C'est un maître sprinteur, un maître coureur. Il n'atteint ses limites que dans les contre-la-montre et dans les grands cols, lorsque la route s'élève. Jamais il ne gagnera un grand Tour. Les étapes de plat constituent son véritable royaume, celui sur lequel Anquetil n'a jamais eu l'intention de régner.

Darrigade a donc pris Anquetil sous son aile sans la moindre arrière-pensée. Il est devenu son ami, son capitaine de route, son mentor, son tourmenteur. C'est lui qui le houspille et le rudoie avant de partager ses fêtes, ses repas plantureux et sa chambre.

Leur amitié est faite de bon appétit et de totale confiance en course. Ensemble, ils sont coureurs cyclistes et gamins. Dès le début, Darrigade a décidé d'être la conscience professionnelle de Jacques, qui en avait bien besoin. Combien de fois est-il descendu au fond du peloton pour l'exhorter à faire son métier ? Dans le Tour 57, au moment où se déclenchait une grosse bataille il l'a même un instant perdu : il était introuvable, même au fin fond du paquet. Il s'était carrément arrêté dans un verger pour cueillir quelques pêches...

Un soir, le Tour s'arrête à Reims. Darrigade a gagné l'étape au sprint. Pendant qu'il brandit son bouquet et distribue des sourires aux dames et des bonnes paroles aux journalistes, Anquetil se dirige vers l'hôtel. C'est un hôtel de province avec des chambres tapissées de fleurs et des dessus-de-lit à rayures. La fenêtre donne sur une place où les badauds se délassent. Comme souvent, il y a un grand lit et un plus petit. Anquetil pose sa valise et s'installe sur le grand lit pour un instant de repos avant la douche et le massage. Darrigade, qui fait chambre commune avec lui, arrive un moment plus tard avec le maillot jaune. Après un coup d'œil circulaire, il se plaint :

« Ah non ! Tu prends toujours le grand lit. Ce n'est pas juste.

– Pourquoi, ce n'est pas juste ?

– Tu le prends toujours. Pourquoi pas moi ? C'est à mon tour.

– Si tu étais arrivé premier dans la chambre, tu aurais pris lequel ?

– Le petit.

– Tu vois... »

Ainsi allait leur couple. À quelques années de là, au même moment, ils sont tombés amoureux, à quelque temps de là, ils se sont mariés et leurs relations se sont distendues. Ensuite, lorsque Jacques a été malade, Dédé a noué de nouvelles alliances. Plus tard, il a changé d'équipe. La vie les a séparés, mais leur amitié est restée et a duré bien plus longtemps que le vélo.

Geminiani

Dans le peloton, le temps passe vite et les générations se succèdent à une vitesse de sprint. La génération montante doit se battre contre la génération montée qui ne veut rien lâcher et qui fait tout pour que rien ne change. Cette rivalité est un fait établi qui transcende les éventuelles relations d'amitié des uns avec les autres. Anquetil ne peut pas être de plain-pied avec Bobet qui accuse dix ans de plus que lui, il ne peut que s'opposer à lui s'il veut avoir sa part du fromage, en outre il ne l'aime pas vraiment. Anquetil ne peut pas non plus être ami de Geminiani, qu'il apprécie pourtant et avec lequel il partage ses goûts de bon vivant. Ils ne sont pas de la même génération et sont *de facto* adversaires.

Pour quelles raisons Anquetil se sent-il si éloigné de Geminiani ?

Contrairement à Darrigade, qui est son complément idéal, Gem est son antithèse.

La victoire de Stan Ockers au Championnat du monde 1955 lui reste sur l'estomac. Alors qu'il était détaché seul devant, il a vu revenir Ockers et Geminiani sur ses talons, et il n'est pas certain que son coéquipier de l'équipe de France n'ait pas favorisé le retour du Belge qui allait l'emporter...

Gem a été pour Bobet ce que Darrigade a été pour Anquetil et cela ne plaide pas en sa faveur dans l'esprit d'Anquetil. Geminiani ne s'est jamais soumis mais il a donné à Bobet quelques-uns des plus beaux coups de main de sa carrière, et quelques-uns de ses plus formidables coups de gueule, en lieutenant indépendant et fier.

Moi, dans mon enfance, il me faisait peur. Même si son accent clermontois me paraissait familier (un voisin, en quelque sorte), sa grosse voix et ses déclarations péremptoires ne correspondaient pas à l'idée discrète que je me faisais du vrai champion. En outre, on l'appelait le Grand Fusil et tout cela faisait trop de bruit pour mes petites oreilles. Tout en lui sentait la chasse et le gibier. On le voyait toujours démarrer, toujours flinguer et pas assez souvent gagner à mon goût.

J'aurais pourtant dû lui accorder toute mon attention parce que, au pied du vélo, Geminiani est un merveilleux conteur. Il raconte la course comme personne, il a toujours quelques anecdotes en réserve, de la verve et de l'humeur. Il est la providence des journalistes, à qui il fournit une matière inépuisable sinon toujours parfaitement objective et fiable.

Anquetil se méfie de lui, il le trouve trop hâbleur, trop tricheur, trop bravache, il lui a vu faire trop de mauvaises façons. Il redoute des combines, des coups fourrés. En 1958, Anquetil, qui a gagné le Tour de France précédent, précise nettement au sélectionneur qu'il veut bien de Bobet ou de Geminiani dans l'équipe de France, mais pas des deux à la fois : « Ils sont trop malins et ils me joueraient un tour à leur façon. »

Les deux hommes se regardent longtemps en chiens de faïence. Leurs styles cyclistes sont à l'opposé : si Anquetil est dans l'élégance, Geminiani est dans le déhanchement et le concours de grimaces. Leurs modes d'expression s'opposent, Anquetil est discret, sec et ironique, Geminiani est surabondant, débordant, drôle.

Mais Geminiani est également un homme d'affaires brillant et imaginatif. Dès 1953 il a créé sa propre marque de cycles. Après son retrait des pelotons, en 1960, il s'est reconverti en ouvrant une brasserie-hôtel place de Jaude à Clermont-Ferrand. Mais cela ne lui suffit pas : il ne veut pas quitter le peloton, et, à cette fin, il a décidé de devenir directeur sportif, et plus particulièrement celui de Jacques Anquetil. « Geminiani comme compagnon de table ? Bravo ! Mais comme directeur sportif cela ne va plus. Je me souviens trop du coureur et des tours qu'il nous a joués. » Anquetil tente de pousser Mickey Wiegant comme directeur de l'équipe St Raphaël-Helyett qui vient de se créer. Mais, mis en minorité par ses confrères coureurs, il doit composer avec Gem.

Au fil des mois et des courses, au fil des voyages, des dîners et des fêtes, se tisse entre eux une relation confiante assez étrange. Geminiani, dont on a souvent vanté la lourdeur, se trouve avoir prise sur Anquetil, le mystérieux, le subtil. Il a compris certains de ses ressorts de champion et il joue avec eux. Il utilise avec Anquetil des ficelles psychologiques énormes et qui pourtant semblent marcher. Il sait jouer de son goût de l'insolite, du différent, de son besoin de se singulariser. Il a percé à jour son désir d'argent, de gloire rentable, et il sait trouver les mots parfois rustiques qui le font avancer. On ne peut pas imaginer qu'Anquetil, avec sa finesse d'analyse et de tempérament, prenne toutes ces remarques et injonctions au sérieux et au premier degré, mais il sait en jouer lui aussi, soufflant sans doute ses désirs à Gem et lui laissant la primeur de les exprimer. Ou simplement se

111

réjouissant que l'on parie sur lui, qu'on le pousse, qu'on le maintienne au centre du manège.

Sur nombre de ces points psychologiques, Gem trouve en Janine une sûre alliée. Elle sait comment piloter Jacques, elle sait que Gem le sait aussi et ils unissent souvent leurs forces. Jacques ne peut pas en être dupe, mais il en profite. Il les voit venir, sans doute avec amusement, sans doute avec confiance, sûrement avec intérêt.

Dans l'exercice de son métier de directeur sportif, Geminiani ne fait pas non plus dans la dentelle, il tire de grosses ficelles. Dans le Tour 63, les coureurs doivent franchir le très difficile col de la Forclaz avant d'atteindre Chamonix. Anquetil l'a reconnu à l'occasion d'un passage dans la région et il sait que l'ascension est terrible. Il demande à ce qu'on monte sur son vélo un petit braquet de 42×26 – l'usage du 26 dents à l'arrière est alors une rareté. Il rêverait également de pouvoir disposer de son vélo ultraléger de montagne, un vélo fait pour grimper et mal fait pour descendre. Comme l'arrivée est après le col, sans réelle descente, ce serait une situation idéale pour utiliser cette machine. Seulement le règlement du Tour interdit les changements de vélo. Qu'à cela ne tienne. Geminiani a décidé de tromper le commissaire de course qui est dans sa voiture et qui veille à la régularité des opérations. Au moment opportun, Anquetil s'arrête et crie : « Merde ! Mon dérailleur ! » Le mécano saute et, en douce, coupe le câble au ras du changement de vitesse avec sa pince. Geminiani crie à l'attention du commissaire : « Merde ! Il a cassé son dérailleur ! » Le vélo léger est descendu du toit de la voiture, Anquetil déjà parti et le commissaire invité à constater immédiatement l'avarie. Anquetil va rejoindre Bahamontes, le suivre et le battre au sprint à Chamonix. Dans sa longue carrière, Gem avait appris bien des vieilles ruses.

Dans ce temps-là, le vélo n'était pas exclusivement livré aux médecins (fussent-ils démoniaques). Autour des coureurs gravitaient quantité de « soigneurs » plus ou moins louches dont on vantait les potions magiques et les pouvoirs surnaturels. Geminiani les connaissait bien. Antonin Magne lui-même, vieux sage parmi les sages, ne dédaignait pas de passer son pendule sur le ventre de Poulidor pour lui prédire un juillet difficile. L'effort cycliste est tel et la tension de la course si forte que l'on ne peut pas faire l'économie de la moindre magie. « Et si ça marchait ? »

Pour Anquetil, aucun doute, « ça marche ». Janine l'affirme : « Jacques est superstitieux. Avant de prendre le départ du Tour, il voulait voir son magnétiseur. Sans cela il se sentait handicapé. » Celui qui en fait office le plus souvent est Jean-Louis Noyès. Sa femme est cartomancienne et lui se dit guérisseur et magnétiseur.

En 1960, au départ du Critérium des As, épreuve en circuit, courue derrière entraîneur, Anquetil se sent mal. Il a aligné deux nuits blanches, sa gorge est chaude et il sent pousser une angine. Il est pâle et mal en point. Il appelle Noyès, qui se précipite et lui fait, sous la banderole, une séance d'imposition des mains autour du cou. Ensuite Jacques raconte : « Au septième tour, j'ai voulu vérifier si je pouvais passer le 13 dents. J'ai accéléré et je me suis senti si bien que je n'ai plus demandé ensuite à Goutorbe, mon entraîneur, de ralentir. » À plus de 54 de moyenne, il bat le record de l'épreuve.

Cette confiance en des pouvoirs mystérieux peut se retourner contre lui : en 1964, Anquetil se laisse littéralement envahir. D'abord il s'est moqué de cet article paru dans *France-Soir*, signé d'un certain mage Belline, annonçant sa prochaine disparition du côté d'Envalira, dans les Pyrénées. Selon ce mage, le treizième jour de son cinquième Tour de France devait lui être fatal. Anquetil a haussé les épaules avec Geminiani, mais, la date fatidique approchant, il s'est laissé gagner par une vague inquiétude puis a pris peu à peu la menace au sérieux. Il a peur.

Pour se changer les idées, la veille du treizième jour, qui est un jour de repos sur le Tour, il décide de participer à un méchoui-sangria avec sa femme et Geminiani. Apprenant cela, ses adversaires pensent qu'il sera émoussé le lendemain, qu'il aura du mal à démarrer, et ils organisent une attaque.

Quelques minutes à peine après le départ de l'étape, dans la montée du col d'Envalira, tout explose. Anquetil se retrouve à la traîne, lâché par le peloton, avec le seul Rostollan pour sauveteur, incapable de suivre Poulidor et Bahamontes qui s'envolent. La route est plongée dans un brouillard terrible et Anquetil est submergé : la prédiction du mage est en train de se réaliser. Il tremble et se traîne, à deux doigts de l'abandon. Le grand Rostollan est obligé de lui remonter le moral et de le pousser aux fesses. Anquetil est une ombre.

Geminiani s'alarme et organise un double contre-feu : il laisse glisser la voiture à sa hauteur, lui tend un bidon de champagne et lui dit : « Quitte à mourir, autant mourir devant. » Il n'en faut pas plus pour chasser la peur de la prédiction. Anquetil bascule dans la descente, fonce dans le brouillard, suis aveuglément les feux rouges des voitures qui dévalent devant lui, rejoint Janssen et Anglade et récupère les échappés avant l'arrivée à Toulouse grâce à un coup de main apprécié de l'équipe Pelforth, qui mène le train pour lui dans la plaine. Anquetil est vivant, Anquetil est vainqueur, Geminiani est son mage.

Mais ce goût du surnaturel ne l'empêchait pas de voir lucidement en avant. Avec Geminiani, Anquetil va opérer une mutation décisive dans les habitudes du peloton et poser les bases d'un nouveau cyclisme. Ce sont eux qui vont réussir à imposer définitivement des équipes de marques contre les équipes nationales et régionales. À partir de 1962, ils font entrer dans le jeu des sponsors extérieurs au monde du vélo. C'est d'abord l'apéritif bien nommé St Raphaël qui devient le financeur de l'équipe que Geminiani dirige, plus tard ce sera Ford.

Ce changement est de taille, car il permettra de construire des équipes homogènes autour d'un leader choisi pour atteindre des objectifs définis à l'avance. Van Looy était déjà en préfiguration avec sa célèbre garde rouge, son équipe Faema-Saeco, financée par les machines à café italiennes, qui en imposait au peloton lorsqu'elle se mettait en route pour placer sur orbite l'autoritaire Empereur d'Herentals.

Anquetil et Geminiani, en fin de compte, constituent un des couples les plus étonnants de l'histoire du cyclisme. Leur parcours commun est émaillé de défis, de batailles, de rigolades, de coups durs, de grosses affaires financières et de quelques passages mémorables dans les auberges. Ils participeront même ensemble au rallye de Monte-Carlo dans une Ford Mustang. Et tout cela fera, au bout du compte, un palmarès hors du commun. Sans Gem, la carrière de Jacques brillerait de moins d'éclat.

Poulidor

Reste le cas totalement à part du grand rival, Raymond Poulidor. Poulidor est la chance d'Anquetil qui est la chance de Poulidor. Ils ne le savent pas encore et mettront longtemps à l'accepter.

Je n'avais pas le droit d'aimer Poulidor. On ne pouvait pas aimer Poulidor *et* Anquetil. C'était impossible. Et puis nous nous ressemblions trop, Poulidor et moi, nous étions bruns, carrés, avec des grosses mâchoires. Nous sentions à plein nez le Massif central, lui à l'ouest, moi à l'est. Nous étions de la même terre et cela ne nous rendait guère aimables.

Pour tous les autres, Poulidor, c'est immédiatement et évidemment « Poupou », le chouchou de la France, son doudou. Pour Anquetil, trouver un bon surnom est difficile : « Maître Jacques » et « le Grand Jacques », comme il fut parfois désigné, sont des surnoms davantage tournés vers le métier que vers le public. Pour la vaste majorité, le nom d'Anquetil va, selon les régions et les particularités de chacun, d'« Anctil » à « Anqueutileu ». Cela fait un nom difficilement prononçable, mais certainement pas un surnom affectueux. Anquetil n'inspire pas ce genre d'affection. Comme son ami Marcel Amont, on serait tenté de l'appeler « Monsieur ».

Le duel Anquetil-Poulidor est d'abord une bataille entre deux idées du cyclisme. Une idée traditionnelle incarnée par Poupou et son mentor Antonin Magne, une vieille idée en blouse blanche et béret basque, et une idée moderne incarnée par Anquetil et Geminiani, une idée en Ford Mustang avec les défauts et les qualités surprenantes de la nouveauté et de l'invention. Quoique plus jeune de deux ans, Poulidor pédale vieux. Les méthodes de M. Magne se ringardisent à vue d'œil et ses décisions en course sont souvent catastrophiques.

Anquetil, d'entrée de jeu, a assigné sa place à Poulidor. Il a jugé tout de suite qu'il était un adversaire de taille mais il lui a mis définitivement dans le crâne qu'il serait son deuxième et il l'a été. L'ascendant psychologique d'Anquetil sur Poulidor est un mystère que l'on ne peut que constater. Poulidor admire Anquetil, il regarde passer la

Caravelle, et cette admiration lui est fatale. Il est dans la situation du gardien de but qui regarde travailler un grand avant-centre : la fraction de seconde d'inattention, accordée à l'admiration, est toujours de trop.

On écrit alors que Poulidor joue de malchance, qu'il crève au mauvais moment, qu'il tombe au mauvais endroit, qu'il se fait renverser par une moto sur le chemin de la victoire. Ce n'est certainement pas faux mais il met également beaucoup de bonne volonté à se nuire. Il commet d'impardonnables erreurs à ce niveau de compétition et de tension.

Dans le Paris-Nice de 1964, lors des étapes corses, Poulidor fait un « truc » énorme dans la montée du très difficile col de Teghime. Il repousse Anquetil à plus de 2 minutes et plonge dans la descente, course gagnée. Dans un virage dangereux, il tombe sans gravité pour lui mais casse son vélo. Cela juste le jour où Antonin Magne a choisi de suivre Jean-Claude Annaert avec les vélos de rechange... Poulidor reste au bord de la route en attendant son matériel et regarde passer la course. Lorsque l'on sait comment Anquetil s'est comporté avec Pélissier lorsqu'il s'est avisé de suivre Koblet plutôt que lui-même dans les Nations, on imagine la chanson qu'il aurait chantée à Antonin Magne. Poulidor, lui, bonne pâte, attend au bord de la route et laisse filer... C'est sur des détails de cet ordre que se joue parfois la victoire.

Dans l'étape de Toulouse du Tour de France, c'est le mécano qui pousse Poupou trop fort après un changement de roue et le fait tomber ! Raymond remonte sur son vélo en hâte pour se rendre compte que la chaîne a sauté. 2 min 30 de perdues…

La gestion des facteurs de chance fait partie d'un métier qui se pratique désormais – sous l'impulsion de Jacques Anquetil – vers d'autres limites, selon d'autres règles. Poulidor doit savoir que dans le vélo de son temps, si tous les coups ne sont pas permis, certains le sont. Il se donne un côté pleurnicheur qui exaspère les anquetiliens et qui enchante les poulidoristes, qui crient au complot et assurent que leur champion n'est battu que par des moyens illicites mis en œuvre par son rival. Le problème de Poulidor reste pourtant entier lorsque Anquetil n'est pas là. En 1965, Anquetil ne fait pas le Tour et Poupou en est donc le favori. Il va quand même réussir à le perdre face à Gimondi, un jeune remplaçant de 23 ans, appelé en renfort à la dernière minute, et à le perdre à la régu- lière, sur tous les terrains, à Rouen, à Roubaix, mais aussi dans le contre-la-montre du mont Revard. Leur idole surclassée, les poulidoristes trouvent la raison profonde de cet échec : c'est Anquetil en personne qui souhaitait la victoire de Gimondi puisqu'il l'a invité à dîner chez lui le soir de l'étape de Rouen ! C'est dire.

La folie n'est pas que d'un seul côté. L'obsession de Poulidor va jusqu'au grotesque du côté d'Anquetil aussi. Au Tour d'Italie 64, Jacques se rend compte un soir que le gars qui le précède au classement général est un Rital qui se nomme Polidori. Il dit à Novak, son capitaine de route : « Tu as vu, Natole, le nom du gazier qui me précède ? Polidori. Presque Poulidor ! On va me charrier

119

en France. Il ne faut plus que ce gars bouge une oreille. »
Et voilà l'équipe de France partie pour neutraliser le
pauvre Polidori, modeste second vélo qui ne comprend
rien à ce qui lui arrive. Tous les Français roulent sur lui
dès qu'il bouge. « Anquetil sait bien que je ne peux pas
gagner le Tour d'Italie ! Qu'est-ce qu'il cherche ? » Par
un étrange revirement de situation, Anquetil, dans une
étape de transition, se met, ce qui n'est pas son habitude,
à bavarder avec un gars dans le peloton. « Il est sympa,
dit-il à un équipier. C'est qui ? » C'était Polidori, bien sûr,
et les hostilités s'arrêtent là. L'Italien n'aura eu à souffrir
que quelques jours de la rivalité Anquetil-Poulidor.

Cette rivalité dépasse très vite les deux hommes. Elle ne
leur appartient plus, elle est devenue l'affaire de la presse
et des supporters qui l'ont prise en charge. On ne peut
plus parler d'Anquetil sans parler de Poulidor. Lorsque
Anquetil gagne le Tour de Sardaigne, auquel Poulidor ne
participe pas, les journaux effacent la victoire et titrent
sur le prochain affrontement entre les deux hommes.
Cela met Anquetil en rage.

La bataille atteint son paroxysme à l'occasion du Paris-
Nice 66. Durant les premières étapes, Poulidor se planque
un peu, prétextant un manque de condition, mais, arrivé
en Corse, il frappe un coup en battant Anquetil dans le
contre-la-montre entre Bastia et L'Île-Rousse. Il lui prend
36 secondes et ce n'est pas un mince exploit. Anquetil
est furieux d'avoir été battu sur son terrain, furieux de
l'accueil que le public corse réserve à Poupou, furieux

d'avoir, croit-il, perdu ce Paris-Nice sur sa valeur. Il n'est pas à prendre avec des pincettes et même Janine se tient à carreau. Il cogite, il remue ses souvenirs, il brasse de vieux articles de presse. Il a remarqué que, à la suite d'un gros effort, Poulidor payait l'addition quarante-huit heures après. Il téléphone à Geminiani et lui dit qu'il va laisser filer l'étape du lendemain mais qu'à l'occasion de la dernière, sur le continent, il attaquera. À Gem de préparer les troupes et les alliances, car la bataille sera totale.

Cette étape Antibes-Nice est devenue le répertoire des petites et grosses vilenies du cyclisme de ce temps. Les équipiers d'Anquetil flinguent à tour de rôle dès le premier kilomètre. Très vite on s'aperçoit que les Italiens de la Salvarani et de la Molteni roulent pour Anquetil. Au même moment, on comprend que les Peugeot roulent pour Poulidor. Zimmermann, un Peugeot, pousse Poulidor dans une côte, et on assure que les motos tirent Anquetil dans la montée de Tourette. Certains coureurs disent avoir été propulsés au fossé. On dénonce partout des manœuvres dangereuses, des intimidations.

Adorni porte alors une attaque sévère et Anquetil laisse Poulidor boucher le trou seul. Lorsqu'il l'a fait, Anquetil flingue aussitôt, selon lui « quinze, vingt, trente fois », selon Poulidor, trois fois. La trentième ou la troisième est la bonne. Poulidor, épuisé, ne peut réagir assez vite et Anquetil se détache. Il fait alors un des grands numéros dont il a le secret, seul devant le peloton, en position de contre-la-montre, la rage aux lèvres. Il devance Poulidor de 1 min 30 sur la promenade des Anglais et gagne *in extremis* un Paris-Nice perdu.

La bataille se poursuit devant les caméras. Poulidor constate amèrement qu'Anquetil est le patron du peloton, qu'il gouverne les courses et que ses équipiers ne ratent pas une occasion de se comporter de façon incorrecte. Anquetil répond que Poulidor est un pleurnichard et que son interview n'est pas digne d'un vrai champion.

Au Tour de France qui suit, Poupou se fait rouler dans la farine une fois de plus. Anquetil n'est plus au mieux de sa forme, mais Geminiani affirme haut et clair qu'il va tout gagner. Poulidor calque sa course sur lui, en fait son adversaire unique, tandis que Geminiani pousse son joker, Lucien Aimar, et lui fait gagner le Tour à la barbe de Poulidor.

Le Championnat du monde de cette même année, en fin de saison, est un sommet de contre-productivité. Les deux hommes, qui sont ce jour-là très au-dessus du lot, se retrouvent seuls dans le dernier tour. L'un des deux sera champion du monde. À la flamme rouge du dernier kilomètre, ils ralentissent brusquement. Poulidor ne veut pas aller au sprint avec Anquetil car il sait qu'il sera battu. Anquetil, lui, regarde Poulidor de travers parce qu'il redoute une attaque en puncheur dans la petite bosse qui est juste devant eux. Ils se regardent. Ils ralentissent. Ils s'observent. Ils se défient… et Rudi Altig, qui n'en demandait pas tant, les passe aux 300 mètres. Anquetil fait deuxième, Poulidor troisième, les deux sont heureux d'avoir perdu. Ils ne seront jamais champions du monde.

« J'en suis à me demander si nous disposons encore de toutes nos facultés : le monde du cyclisme, les supporters, Poulidor et moi. Je trouve tout à fait absurde ce partage de la France sportive en deux clans, ces passions, ces menaces. Par lettre anonyme ne m'a-t-on pas voué à une mort violente ? » écrit Anquetil.

« Il m'est arrivé de détester Anquetil », affirme de son côté Poulidor.

Ayant atteint des sommets grotesques, ce couple fatal ne pouvait qu'en venir aux lames ou se tomber dans les bras en riant. Ce qu'ils firent. Anquetil reconnut même qu'il était « en état de dépendance par rapport à Poulidor ». Ces batailles ridicules ayant considérablement rehaussé leur gloire et arrondi leur pécule, ils décidèrent qu'ils étaient tous deux gagnants et optèrent pour une amitié respectueuse et durable, tissée de veillées tardives, de pokers nocturnes et de débats entre fermiers. Sans doute, dans le peloton, parlaient-ils de vaches, la Normande aux gros pis et la Limousine au pied sûr. Jusqu'à ce que le souffle vienne à leur manquer. Ils étaient deux incarnations de la vieille France terrienne, chaque course leur valait un lopin, une bête. Ils n'étaient pas du même pays, la terre ici était plus grasse que là, mais ils étaient bien de la même agriculture, celle des seigneurs et des paysans. Ils s'étaient enfin reconnus. En 1974, devenu sélectionneur de l'équipe de France, Anquetil ne manquera pas de sélectionner son ami Raymond, qui, une fois encore, finira second, mais derrière Eddy Merckx, cette fois. Pas de chance.

La légende veut même que sur son lit de mort Anquetil ait dit : « Mon pauvre Raymond, je m'en irai donc avant toi. Encore une fois, sur ce coup-là, tu vas faire deux ! » Poulidor, interrogé sur la véracité de ce mot, a modestement assuré que sa mémoire n'était pas sûre mais que si, par hasard, ce n'était pas vrai, cela aurait parfaitement pu l'être : Anquetil était bien capable de le chambrer jusqu'à son dernier souffle. Mais à cet instant-là Poulidor n'était sans doute pas d'humeur à rire. C'était bien un ami véritable qu'il perdait.

La troisième fois que j'ai vu Anquetil pour de vrai, c'était dans le col de l'Izoard, juste à la sortie de la lunaire Casse Déserte, là où la route recommence à grimper sèchement après la brève descente. J'étais monté le matin même sous le soleil, toujours dans la roue de mon père. Nous avions emprunté la vallée du Guil, qui sert de marche d'approche pour le col, puis nous avions tourné à gauche, au célèbre carrefour avec sa pancarte qui indique : « Col d'Izoard 15 km ». J'y étais enfin, dans cette montée terrible où s'écrivait l'histoire du Tour. Pendant quelques kilomètres je fus un peu surpris, la côte n'était pas si épouvantable après tout, et je parvenais même à la grimper sans mettre mon plus petit braquet. Ce fut un moment de bonheur, mêlé d'un peu d'inquiétude. Mon père m'avait-il trompé sur la difficulté du col ? Était-ce bien là le juge de paix attendu ?

Nous avons passé Arvieux à jolie cadence et puis nous avons atteint cette longue ligne droite au bout de laquelle se trouve un village. Mon père me précisa que ce village se nommait Brunissard et puis il ne me dit plus rien. Au fur et à mesure que nous avancions dans la ligne droite, je sentais mes jambes s'alourdir et je voyais mon guidon remonter vers mon nez. Je passais mon petit braquet et mes jambes restaient de plomb. Rien dans ce bout droit n'indiquait la pente et je ne comprenais pas cette soudaine baisse de forme. Je venais de taper dans le mur invisible de l'Izoard. Mon braquet était trop gros, mes forces étaient trop menues, la route était trop pentue, le soleil était trop brûlant, mon bidon était trop vide, mon père était trop loin devant (au moins cinq longueurs), la vie de cycliste était trop dure et j'étais trop petit.

Ensuite, nous sommes entrés dans la forêt et l'ombre m'a serré dans ses bras doux. La route montait toujours mais je la voyais faire. De lacet en lacet, je mesurais le chemin parcouru et le dénivelé gagné. Des cyclistes nous rattrapaient, une élégante pointe de banane sortant de leur poche, ils avaient un mot d'encouragement, ils tendaient un bidon plein, ils donnaient une poussette dans le dos au passage. La vie redevenait cyclable et, à force de bonne volonté, j'atteignis le fameux virage à droite où mon père m'attendait avec le sourire du farceur. Je tournais et, là, je découvris la lune et une descente, ce qui faisait beaucoup à la fois. Le paysage était épluché jusqu'à l'os, tout de pierraille et de rochers dressés, de tous les gris, de tous les beiges, de tous les bruns, magnifique

125

de tristesse, sublime de désolation. Je n'avais jamais rien vu de semblable et je m'en délectai d'autant plus que la route, en plein milieu de la montée, avait la grâce de descendre pendant 500 mètres, pour laisser au cycliste le loisir de profiter de ses beautés. Je n'en revenais pas.

Nous nous sommes installés en bas, dans le virage à gauche, et nous avons attendu quatre heures que les coureurs arrivent en écoutant leur avancée sur le transistor d'un voisin qui crachotait la voix de Fernand Choisel dans le silence de la montagne.

Anquetil est passé en un éclair dans un premier groupe qui escaladait très vite. Il m'a sauté aux yeux parce qu'il était le seul à tenir sa position de rouleur parmi les grimpeurs en danseuse. Ce fut un instant minuscule. Les coureurs défilèrent en trombe devant la plaque en hommage à Fausto Coppi posée sur son menhir et disparurent dans le virage à droite pour en découdre vers le sommet. Je n'ai pas de photo de ce jour parce que j'étais monté moi-même chargé au minimum et que je n'avais pas encore passé le bac. Trois longues heures de montée terrible et quatre heures d'attente pour trois secondes d'Anquetil, je jugeais le partage équitable. Mon vélo, couché dans le fossé, était toujours vert. Anquetil était passé si vite que je m'inquiétais de savoir s'il avait bien eu le temps de regarder le paysage. Tout était tellement beau, tellement vaste, si différent. En avait-il vraiment profité ? Les coureurs jouissaient-ils de la beauté du monde ? Aplati comme il était sur sa machine, pouvait-il seulement voir un bout du ciel bleu ? Était-il condamné

126

à la roue arrière de Bahamontes ? Aux fesses de Poulidor ? Aimait-il bien le même vélo que moi ? Étais-je de l'étoffe dont on fait les champions cyclistes ? S'il s'était tenu debout, immobile au bord de la route, comme moi, à s'attendre, aurait-il eu lui aussi terriblement mal aux jambes ? Si j'ai un seul instant dans mon enfance douté d'être Anquetil, ce n'est certainement pas dans la montée de Brunissard, mais bien plutôt à cet instant fugitif-là, à ce moment de bataille rageuse, où la gloire avait pris les allures de l'éclair.

L'Elfe et le modèle brisé

Et puis Anquetil est sorti de mon univers d'enfance lorsque je suis sorti sans bruit de l'enfance même. Nous avions vieilli. Il avait fini sa vie de cycliste et j'avais mis un terme à ma vie d'Anquetil sans violence. Même si j'étais un peu moins rond, je n'étais toujours pas blond, toujours pas longiligne, et j'étais, sur mon vélo, toujours aussi banal. Je n'avais même pas la grâce qu'ont les Pollentier, les Agostinho d'être magnifiquement laids en machine. Simplement banal. D'autres champions étaient venus que j'admirais en adulte, d'autres hommes et d'autres femmes surgis des livres avaient pris possession de moi. Sans douleur, j'avais compris que je ne serais jamais Anquetil et que je ne serais même pas coureur cycliste.

La vie de l'homme ne me laissait pourtant pas indifférent, je reconnaissais sa voix lorsqu'il commentait les courses à la télé ou à la radio, je reconnaissais son visage lorsqu'il paraissait dans les pages de *Paris Match* ou de *Jours de France* que ma mère tenait à la disposition de ses clientes, dans son salon de coiffure. J'appris un jour qu'il avait eu une fille et je me dis fugitivement qu'elle aurait pu être ma copine, mon amoureuse peut-être. Que j'aurais pu sortir à son bras de la cathédrale de Rouen, devenu le gendre de Jacques Anquetil...

L'Elfe

Le 27 décembre 1969, après un omnium au vélodrome de Gand, Anquetil et Janine rentrent aux Elfes. Janine gare la voiture devant la remise où Jacques stocke son matériel et, contrairement à ses habitudes, il tient à descendre lui-même les deux vélos de la galerie de toit. Il les pousse seul à l'intérieur. Il y a là tout son outillage : des cadres, des roues, des accessoires, des dizaines de boyaux qui sèchent sur des jantes, prêts à être montés. Il y a là des souvenirs de courses, de victoires, de défaites. Une vie entière de champion. Jacques suspend les deux vélos soigneusement à leurs crochets respectifs, prêts à l'emploi. Il ne les touchera plus jamais.

ANQUETIL : La page est tournée, je n'ai pas de regret, des petits pincements ici et là, des détails. S'il fallait la réécrire, je la referai à l'identique sans doute, peut-être avec des côtes un peu moins pentues, peut-être avec un passage, un seul, en tête d'un col dans les Alpes ou les Pyrénées, peut-être Paris-Roubaix parce que je ne suis pas passé loin. Ah si, tout de même, un regret, un seul ! Le maillot arc-en-ciel. Je l'adore, ce maillot. Je me fous d'être champion du monde, mais j'aurais adoré porter le maillot; il est beau, blanc avec ses bandes de couleurs. Le bonheur d'en enfiler un propre chaque matin tout au long de l'année. Dans le peloton, je le regardais toujours sur le dos des autres : Baldini, Darrigade, Janssen, Van Looy, Altig, et je me récitais les cinq bandes : bleu, rouge, noir, jaune, vert. J'en ai rêvé et j'en rêve encore.

Le temps du vélo est fini. La voiture est entrée au garage, les courses folles à travers la France et l'Europe sont terminées. Janine ne conduit plus. Jacques a tourné la lourde page de sa carrière cycliste.

Devenu piéton, cravaté, costumé, qui est-il? C'est souvent lorsqu'ils descendent de leur selle, en effet, que se dévoilent les drames des champions : Ocaña et Kübler qui cherchent le coup dur et y laissent la vie, Pantani et Maertens qui cherchent l'oubli dans les flacons et les poudres et qui en meurent... Anquetil ne change pas, il ne grossit pas, il ne se défait pas de son élégance distante ni de son talent pour l'ironie. Il accepte les honneurs et jouit de son confort énergiquement gagné. Il a 35 ans, il n'a plus mal aux jambes et a déjà réalisé un grand nombre de ses rêves. L'adolescent au chapeau, le nez planté dans une rose, qui louchait sur les maisons bourgeoises des rives de Seine est maintenant propriétaire des Elfes. « Mon rêve, avait-il avoué quelques années auparavant, est d'acheter une ferme en Normandie et d'y vivre tranquille. » En lieu et place il possède un château entouré de 700 hectares de terres agricoles...

Située à La Neuville-Chant-d'Oisel, la demeure est chargée d'histoire. Elle a appartenu aux Maupassant, elle a été le rendez-vous de l'élite des sciences et des arts de Rouen. Gustave Flaubert y a séjourné bien souvent. En 1869, cette maison a été rachetée par Louis Pottevin, peintre et cousin de Maupassant. Elle a été restaurée en château en 1874. Elle va devenir le rendez-vous de l'élite du cyclisme mondial.

Anquetil se met immédiatement dans ses bottes de gentleman-farmer et de chef d'entreprise, sans temps mort. Depuis longtemps déjà il est dans les affaires, l'agriculture, l'élevage, mais aussi l'immobilier, une gravière... Son indifférence affichée pour la bicyclette l'aide sans doute à franchir ce délicat moment de transition. La vie de coureur cycliste est certes pénible, mais elle est également très encadrée, très minutée et elle laisse peu de place à l'improvisation. Anquetil sait qu'il ne doit pas traîner en chemin pour ne pas laisser le champ libre aux idées noires, aux perspectives incertaines, aux désirs flous. Il avance.

Aux Elfes, il est le maître de maison. Janine et lui reçoivent et aiment par-dessus tout qu'on vienne à eux. Les douze chambres d'amis font souvent le plein. Elles ont leurs abonnés et leurs hôtes de passage. Des amis d'enfance comme Dieulois ou Billaux, des «plumitifs» comme Chany ou Blondin, des cyclistes, bien sûr. Les Anquetil sont royaux, la table est toujours belle et les nuits interminables. La nostalgie du vélo éclate en fêtes. Elles peuvent durer plusieurs jours, mais Anquetil se tient toujours à une petite distance. Il aime voir ses proches se réjouir. Il participe, il est de tous les jeux, de toutes les farces et de toutes les beuveries, il n'est pas le dernier à évoquer les souvenirs du peloton, mais il garde toujours cette minuscule réserve, ce petit éclat de solitude qui le définit si bien.

Un jour, par dérision, et pour faire un pied de nez à la grande Histoire du cyclisme, il organise un déjeuner d'anciens coureurs où tous doivent porter le maillot qu'ils n'ont jamais gagné : Poulidor est enfin en jaune, Anquetil arbore le maillot arc-en-ciel de champion du monde, Altig porte le rose du Tour d'Italie, etc. Les souvenirs du temps du vélo sont là, vivaces, prompts à jaillir, mais ils sont là aussi pour qu'on s'en moque, pour qu'on en joue, pour qu'on les remette irrespectueusement à leur juste hauteur dans le destin des hommes.

Curieusement, en parallèle à son travail aux Elfes, il va choisir de rester dans le vélo. Lui, l'anticonformiste, le rénovateur, l'innovateur, le bel indifférent, le dopé, va savoir rentrer dans les clous de la Fédération pour se faire sélectionneur de l'équipe de France. Il s'y montrera compétent et assez conservateur dans ses choix. Il restera dans la course aussi pour la commenter, à Europe n° 1 aux côtés de Fernand Choisel, sur Antenne 2 ensuite, aux côtés de Robert Chapatte, dans *L'Équipe*, avec Philippe Brunel. Il ne pratique pas la théorie du « bon vieux temps ». Il est de plain-pied dans le cyclisme moderne – celui-là même qu'il a inventé. Ses commentaires sont sobres,

donnés d'une voix égale et élégante, sérieuse et légèrement détachée qui tranche nettement sur l'enthousiasme
forcément fabriqué du commentaire journalistique, sa
vision de la course paraît même plus claire que lorsqu'il
courait lui-même, mais là où il est le plus fin, c'est certainement lorsqu'il touche à la psychologie des champions.
Il est fort en hommes et il reconnaît ses semblables au
premier coup de pédale.

Chapatte se souvient particulièrement du jour où
Merckx a battu le record de l'heure, à Mexico, et où, par
un concours de circonstances qui n'a pas manqué de mettre
tous les autres journalistes dans une rogne noire, ils se sont
retrouvés, Anquetil et lui, seuls avec le Belge, après son
exploit, dans la confortable cabine qui lui était réservée au
vélodrome. Merckx ne parvenait pas à s'asseoir, il ne parvenait pas à parler sauf pour répéter « j'ai mal ». Si on lui
demandait où, il montrait ses cuisses, son dos, son cou,
sa tête. Anquetil, oubliant tout à fait sa mission de journaliste, lui disait son admiration et l'engueulait pour
ne pas s'être préparé à la douleur. « Moi, je suis allé à
Besançon, toi, tu fais ça comme ça, au pied levé. Quel
record, quelle merveille ! Tu es un cornichon ! Quel sacré
bonhomme tu fais ! » Personne d'autre au monde qu'Anquetil n'aurait pu se permettre de dire au grand Merckx
qu'il était mal préparé alors qu'il venait de parcourir près
de 50 kilomètres dans l'heure et qu'il souffrait le martyre
en répétant « J'ai mal, j'ai mal », interminablement.

Fernand Choisel, lui, ne s'est jamais étonné de ce qu'Anquetil pouvait dire à ses côtés. Il le connaissait trop bien

et leurs réactions étaient trop en phase pour qu'il puisse être pris par surprise. En revanche, il se souvient parfaitement de l'homme de parole qu'était Anquetil. Lors de sa deuxième tentative contre le record du monde de l'heure, le départ était fixé à 17 h 45, l'arrivée, donc, fatalement à 18 h 45, et Choisel avait proposé à Anquetil de faire l'ouverture en direct du Journal de 19 heures sur Europe n° 1. À la suite de menus incidents, Anquetil n'avait pas pu prendre la piste avant 55. Qu'à cela ne tienne : son exploit accompli, il s'est précipité sur le micro pour tenir sa promesse avant toute cérémonie protocolaire. Choisel n'en a pas perdu la parole mais il en a gardé le souvenir.

Pour moi, modeste et attentif téléspectateur, si je devais ne retenir qu'un seul des commentaires d'Anquetil à la télévision, le plus emblématique sans doute, ce serait celui qu'il a fait au terme d'une étape terrible sur les pavés du Nord, en 1979. La bataille avait fait rage entre Hinault et Zoetemelk. Hinault avait perdu 3 min 45 et semblait irrémédiablement battu. Tout le monde en convenait. Anquetil, lui, déclara paisiblement : « Il y a un gars qui est en train de gagner le Tour et c'est Hinault, parce qu'il s'est battu comme un chien pendant 150 kilomètres pour ne pas en prendre davantage. Il va gagner. » Personne d'autre que lui ne pouvait deviner.

En octobre 1969, au moment où Anquetil va se retirer, le magazine *Miroir du cyclisme* fait paraître un numéro spécial grand format intitulé « La prodigieuse carrière de Jacques Anquetil », avec un portrait du héros, détouré sur un fond noir, en couverture. Je l'achète au premier kiosque venu et me rue sur les articles, interviews, témoignages de coureurs, de compagnons de route, d'entraîneurs, d'amis et d'adversaires. Je m'attarde aussi sur les photos, photos de course que je connais déjà pour la plupart : Paris-Roubaix avec son visage de boue, un tour d'honneur avec un bouquet dont il ne sait que faire, profil sublime au Vigorelli, de dos contre la montre avec le maillot jaune et le dossard numéro 1 ; et photos hors course que je connais moins où l'on voit Anquetil en costard uni ou finement rayé, en cravate à fleurs à petit nœud, en chemise blanche à col pointu, tiré à quatre épingles, la chevalière au doigt, portant toujours, comme un souvenir, le chronomètre au poignet droit. Et puis, parvenu à la page 51, en face d'un entretien sur le métier avec Maurice Vidal daté de 1964, un portrait plus grand que nature, que je ne connais pas. Cette photo ouvre une porte en moi. Elle dit des choses secrètes que les autres ne disent pas. Elle dit le mystère entier d'Anquetil. C'est une image d'après l'effort, un jour de soleil et de sueur, un jour d'angoisse, de perplexité, de réflexion et de peur. Une photo de souci. Un œil est dans le noir, l'autre est tourné vers un mystérieux problème. Anquetil ne sait pas qu'il est photographié, car il n'aurait jamais laissé passer autant de lui-même, autant de fragilité et de doute s'il s'était contrôlé. C'est l'homme secret que l'on devine, celui-là même dont le magazine ne parle pas, celui qu'Anquetil lui-même n'est pas très sûr de vouloir connaître.

C'est cette photo qui décide que, un jour, je lui tirerai moi aussi le portrait en douce.

Aux Elfes, la vie sentimentale se complique. Pendant longtemps, ce ne furent que rumeurs et sous-entendus de la part de gens qui prétendaient savoir ce qui se passait et ne voulaient pas vraiment le dire de peur d'être contredits par les faits, de la part de gens aussi qui savaient vraiment et voulaient se taire. L'omerta jouait à fond dans le premier cercle. Jusqu'au moment tardif où Sophie Anquetil, la fille de Jacques, a décidé de tout écrire dans un livre énergique et aimant, *Pour l'amour de Jacques*, dans lequel elle ne cache rien de ce qu'elle sait. Ayant été le bébé de l'histoire, il est évident qu'elle ne sait pas tout et que son récit a, malgré elle, un côté « histoire officielle », mais il a aussi un ton de vraie liberté et de vraie franchise qui laisse à penser qu'elle vise souvent très juste.

L'histoire est très simple : ayant mis un terme à sa carrière cycliste, Anquetil souhaite avoir un enfant. Il a élevé les deux enfants de sa femme, mais il veut un enfant de lui. Janine ne peut plus en avoir. Après avoir envisagé de faire appel à une mère porteuse, il est décidé qu'il aura un enfant avec Annie, la fille de Janine, qui est d'accord. Sur cette décision un peu risquée aux yeux du monde extérieur plane encore des zones d'ombre. Est-ce Janine qui conduit cette fois encore, en poussant Jacques dans les bras de sa fille ? Est-ce au contraire l'amour qui est au volant ? L'amour est-il vraiment un invité imprévu ou était-il en embuscade depuis longtemps dans le château ?

On peut légitimement le penser. Annie a toujours adoré Jacques, elle est devenue une jeune femme belle et attirante. Anquetil a le goût des femmes – qui le lui rendent bien. Pourquoi serait-il insensible à sa belle-fille ? Sophie Anquetil, à qui je pose la question, me raconte au téléphone qu'elle vient de retrouver des vieux films de famille en super-8, tournés aux Elfes. Sur l'un d'entre eux on voit sa mère, qui avait alors 12 ou 13 ans, papillonner autour de Jacques : « Elle ne le lâchait pas, elle l'encerclait, elle le voulait déjà. »

L'histoire ne tranchera pas nettement, mais la petite Sophie aura bien deux mamans. Car la décision que prend Jacques est étrange : si faire un enfant avec Annie paraît un choix naturel, compréhensible, vouloir le déclarer comme étant de Janine est une décision plus sinueuse. « Il a été décidé par mon sultan de père qu'à ma naissance on me déclarerait aux yeux des autres comme la fille non d'Annie ma mère mais de Nanou ma grand-mère, écrit Sophie. J'ai été une petite fille qui a eu deux mamans. L'une de mes mamans était la fille de l'autre et mes deux mamans étaient en même temps, et pendant presque quinze ans, sous le même toit l'une et l'autre, la femme double de mon bigame de papa. » On imagine quel genre de bombe à retardement a été ainsi mise en place. Vu du dehors, même s'il n'y a absolument pas d'inceste, c'est la confusion. Vu du dedans, la situation de rivalité qui s'installe devrait logiquement devenir vite intenable. Anquetil et, sans doute, bébé Sophie vont pourtant la faire tenir quinze ans ! Sophie raconte que Jacques commençait sa nuit avec Annie et la finissait avec Janine et qu'elle faisait le voyage inverse d'un lit à l'autre. Là encore, Anquetil fait la preuve de son étrange singularité et de son mystérieux ascendant sur les êtres.

Je feuillette un magazine en couleurs, *Paris Match*, qui présente Jacques Anquetil en son château. On y voit les Elfes, la belle pelouse, la grande piscine, les transats, on y voit des sourires, des poses, des chemises et des robes d'été. Cela sent les vacances à perpétuité. Je lis les légendes qui sont sans intérêt pour un amateur de vélo et puis je me résous à lire le texte de l'article lui-même. C'est de l'eau tiède, bien sûr, du « tout le monde il est beau, tout le monde il est gentil », mais au détour d'un paragraphe j'apprends que le château des Elfes a appartenu aux Maupassant. Et là, je m'arrête. Je pourrais presque affirmer que je me bloque. Il faut dire que j'ai grandi. J'ai lu *Bel-Ami*, j'ai lu *Boule de Suif* et quelques autres. D'un seul coup, c'est comme si on me donnait la clef du souterrain. Je viens de trouver le passage secret entre ma décision d'être écrivain et mon rêve d'être coureur cycliste, ce lien improbable entre Maupassant et Anquetil, les deux costauds qui s'affrontent à l'intérieur de moi.

La nuit d'automne est pourtant calme. Au château, les femmes se déchirent, Anquetil sait qu'il n'y aura plus de paix. Il connaît trop bien la compétition pour ne pas savoir que la première qui veut rester la première et la deuxième qui veut devenir première ne s'accorderont que pour neutraliser la troisième. Il sait qu'il y laissera son cœur et que la paix ne reviendra jamais aux Elfes. Si son cœur ne l'abandonne pas, il devra se l'arracher et, toujours, il saignera.

Il saisit la petite Sophie, qui en a déjà trop entendu. Dehors, la nuit est froide. Il la protège sous le pan de sa veste et ils s'enfoncent dans la forêt noire, sur les traces du silence et du peuple nocturne. La lampe frontale qu'il porte leur ouvre le chemin, la torche qu'il a en main leur ouvre les recoins. Il fouille les broussailles, scrute les marques sur le sentier humide. Le calme le gagne, il ralentit, il prend Sophie par la main et lui aiguise les yeux.

«Regarde, dit-il en s'arrêtant. Une trace de lièvre. C'est un mâle ou une femelle?»

Sophie a bien retenu la leçon, elle constate que les empreintes laissées par les pattes arrière sont légères, guère plus marquées que celles laissées par les pattes avant...

«C'est une dame!» dit-elle fièrement.

Jacques illumine un instant son visage avec la lampe et l'embrasse sur le front.

«Allons voir maintenant les gros messieurs du taillis. Baisse-toi, passe par-dessous, je te tiens les ronces.

– Il faudra venir nettoyer avec Bubull.

– Tu voudrais qu'on détruise ta maison au bulldozer, toi? Ces buissons appartiennent aux sangliers. Ils sont leur demeure et il faut les laisser en paix. Regarde.»

Anquetil tape du pied et froisse les feuilles. Pas autrement effrayés, les sangliers traversent devant eux dans le pinceau lumineux. Sophie se serre contre lui.

Un autre soir, Anquetil cherche la paix dans le ciel noir. Il est sur le toit avec sa fille. Ils portent leurs anoraks. Il déploie les cartes, règle la lunette et se met à lui raconter le ciel. Ensemble, ils comptent les étoiles, cherchent les constellations. Anquetil connaît cela sur le bout des yeux. La voûte céleste est devenue le royaume qu'il ne parcourra jamais. Lui qui a passé sa première vie tête baissée se ruine en télescopes et garde maintenant la tête dans les étoiles, vers un monde imaginaire et sans doute magique qui lui est devenu familier. Sophie lève l'œil à ses côtés. Le ciel noir n'est pas de son monde mais elle est une petite fille heureuse de regarder dans la même direction que son papa.

Un jour, Annie, faute de pouvoir être *la* seule, partira, brisant l'équilibre du «sultan». Elle laissera Sophie, mais aussi une plaie d'amour si profonde en Jacques que l'ordre ancien ne pourra plus se rétablir. Janine devra partir à son tour, mettant un point final à une somptueuse histoire d'amour et de partage. Jacques épousera l'ancienne femme du fils de Janine qui lui donnera un fils qu'il n'aura pas le temps de voir grandir puisque le cancer aura bientôt raison de lui. «Oui, j'ai un cancer à l'estomac. Je passe sur le billard, à Rouen, après le Tour de France. Mais ne faites pas cette tête, on peut vivre longtemps sans estomac.» Pas toujours...

Le modèle brisé

Le vélo est un sport qui a de la chance. Il entretient avec les médias des relations durables et privilégiées. La presse écrite lui va parfaitement, la radio lui convient à merveille et la télé l'habille comme un gant. Il faut dire que le vélo, surtout à l'occasion des grands Tours, a des élégances de feuilleton et des séductions de dépliant touristique. Dans ce contexte, les champions reçoivent leur louche de gloire. Parmi eux, Anquetil est particuliè-rement gâté, il a été le dernier grand champion de tra-dition écrite : pendant l'essentiel de sa carrière, il a eu à sa disposition deux des plus belles plumes de l'histoire de la presse cycliste, Pierre Chany et Antoine Blondin. Le premier est la rigueur même, il n'a pas son pareil pour donner aux courses un début, un milieu et une fin, pour tirer de chaque événement l'essence cinquième et pour vous replacer la moindre bosse dans l'histoire du cyclisme tout entière. Le second est le ludion, l'écrivain parfait que l'on sait, il fait malice de tout et éclabousse le peloton de son talent pour le faire reluire. Ces deux-là ont Anquetil à la bonne et sont du nombre de ses amis. Dans plus d'une situation difficile, Anquetil s'en tire avec les honneurs. Plus encore, lorsque c'est nécessaire, ils savent lui tirer les oreilles et le pousser vigoureusement aux fesses, quitte à faire mine de se fâcher un peu. Mais ils ont bien compris qu'ils ont un besoin définitif les uns des autres et que tout finit toujours par de jolis papiers dans *L'Équipe* (c'était une l'époque où il y avait davantage de choses à lire dans ce journal). Leur histoire commune est celle d'une longue amitié et, pour qui voudrait suivre pas à pas la carrière du Grand Jacques, les articles de Chany restent les plus sûrs jalons. Blondin, par ses saillies, éclairait souvent l'homme. N'a-t-il pas résumé l'opposition Anquetil-Poulidor en disant qu'Anquetil était gothique et Poulidor roman ?

Anquetil, qui, comme on le sait, s'intéressait assez peu aux péripéties de la course, avait, lorsqu'on lui demandait comment la journée s'était écoulée, l'habitude de dire : « Demandez à Chany, moi, je pédalais. Je suis plus habitué à rouler ma vie qu'à l'écrire. »

Il est vrai que les coureurs, dans leur ensemble, racontent mal les courses. On jurerait qu'ils n'y étaient pas. Aveuglés derrière la grande muraille d'échines, bornés par un horizon de fesses. D'un coup ils sont devant, d'un coup ils sont derrière... Après l'arrivée, motus. Le lendemain, ils racontent ce qu'ils ont fait comme les journalistes le racontent, comme ils l'ont lu dans le journal. Dans cette absence de lucidité immédiate, il faut aussi compter avec l'effet de brouillage des pilules et des piqûres qui font voir la course en flou. L'amphétamine est ennemie de la mémoire, elle efface les mauvais moments mais aussi les bons, ce qui est dommage. D'où ce goût forcené de vouloir faire mieux la prochaine fois – ce qui veut dire en vérité : « se souvenir la prochaine fois, et mieux raconter ».

Il est donc très facile de savoir tout sur Anquetil. En apprendre davantage ne fait pourtant qu'épaissir le mystère. Anquetil ne peut pas être un modèle.

Vouloir être Proust quand on débute en littérature est une idée compréhensible mais catastrophique (Queneau, encore pire). Vouloir être Anquetil lorsque l'on est cycliste est une idée plus épouvantable encore. Vouloir être le contraire d'Anquetil serait également improductif. En vérité, si grand que puisse être le désir de ressembler à l'aîné qu'on admire, si porté qu'on se sente vers lui et vers le modèle parfait qu'on y lit, il est sage de le considérer comme un adversaire.

C'est ce qu'Anquetil a magnifiquement fait avec Coppi en allant lui faire visite dans son enfance de champion. S'il l'avait voulu, il aurait pu connaître le moindre des secrets du Campionissimo, se glisser sous son aile, prendre la leçon, laisser le géant Cavanna sculpter son corps à tâtons et le faire entrer dans le moule de celui du maître. Anquetil a choisi d'aller voir Coppi pour lui dire en toute amitié qu'il allait être son adversaire et qu'il allait l'effacer.

Les très grands champions ont le goût de la solitude, souvent ils sont loin devant, aspirés par les sommets, indifférents à la masse qui, loin derrière, se serre les coudes pour s'arracher à la pesanteur. Dans l'effort solitaire, ils sont seuls en eux-mêmes. Certaines fois, ils sont seuls, loin derrière, ils dorment. Le plus souvent, même au cœur du peloton, ils sont seuls. C'est leur destin de champions. Parmi les solitaires, Anquetil était le plus solitaire, indiscutablement, le plus fort et le plus exposé. De 6 à 19 ans, j'ai été Anquetil et je peux témoigner que ce n'était pas de tout confort, c'était simplement mission impossible.

Je me souviens avoir pleuré le jour où Anquetil a décidé

d'abandonner dans le Tour de France – d'abandonner le Tour et le vélo. Je l'imaginais faire cela avec hauteur, perché sur le toit du monde, comme Bobet qui avait tiré sa révérence au sommet de l'Iseran. Point du tout : Anquetil a fini dans un obscur trou de pluie. Il s'est arrêté là, en pleine peur, pour abandonner au milieu d'une descente, sous un orage froid. Ce froid glacé, je l'ai partagé un moment. Quelque chose s'est gelé en moi qui était peut-être ma jeunesse, tout simplement, ou l'envie forcenée d'être un autre.

Longtemps plus tard, la question de Geminiani reste : « S'il avait fait comme les autres, est-ce qu'il aurait fait mieux ou moins bien ? » Cette question demeure parce qu'elle est stupide. Anquetil courait comme personne et vivait comme pas un. Il était un modèle impossible à suivre dans le premier cas comme dans le second.

Une chose reste sûre : il n'a pas échappé à la malédiction des maillots jaunes du Tour, qui gagnent sur la route leur part d'éternité mais certainement pas leur part de longévité. Comme nombre d'entre eux, il est mort jeune. Il a 53 ans. Il est plus jeune que Bobet, mort à 58 ans, mais plus âgé que Fignon, mort à 50, que Coppi, à 41, que Koblet, à 39...

La première fois que j'ai vu Anquetil pour de vrai, je n'avais qu'une dizaine d'années puisqu'il y avait encore un vélodrome rue Denis-Papin, à Saint-Étienne où je grandissais sur mon petit vélo. Dans mon souvenir, je l'entends encore craquer de tout son bois, ce vélodrome, sous le poids des spectateurs et je vois encore le matelas de fumée collé au plafond, tant il est vrai que l'on ne vivait pas alors sans une gauloise ou une gitane maïs pendue à la lèvre. Je ne fumais pas. Mon père avait pris des places en bord de piste, dans une loge en haut du virage que nous partagions avec une insolite petite dame stéphanoise, vêtue de noir, parfaitement déplacée et modeste dans ce monde mâle de supporters gueulards. Elle se révéla, quelques minutes plus tard, lorsqu'il vint à vélo l'embrasser, être la mère de Roger Rivière lui-même, le Seigneur de l'Anneau. Pendant l'échauffement, il vint se planter devant nous, saisissant la rambarde, pour se pencher vers elle. Affectueusement, elle posa la main sur sa cuisse. Il l'appela « maman ». « Ça fait rien si tu gagnes pas, lui dit-elle avec son bel accent stéphanois, mais va pas te tomber. »

La piste descendait devant moi comme un gouffre, une pente assurément à ne pas poser un cycliste. Mon père m'expliqua qu'elle était en bois d'érable, précieux, ajusté, raboté et patiemment lissé par le frôlement des boyaux de soie gonflés à l'hélium. Il m'assura que Robert Chapatte lui-même, malin pistard, la trouvait très rapide : « une des plus rapides d'Europe ». Je n'imaginais pas comment une piste immobile pouvait être rapide tant j'accordais aux seuls coureurs le privilège de la vitesse.

La bataille était entre Français et Italiens, Anquetil et Rivière d'un côté, Coppi et Faggin de l'autre. Ils devaient s'affronter dans les trois épreuves de la course en ligne, de la vitesse et de la poursuite. Je n'avais d'yeux que pour

Anquetil, le buste parallèle à son cadre vert, magnifiquement immobile, pâle et blond.

Le public, lui, dévorait Roger Rivière, l'enfant prodige
du pays noir, la jeune gloire qui allait tout rafler sur son
passage. Rouleur d'exception, rapide en côte, irrésistible
sur piste, endurant, il était promis à tous les maillots,
rose, jaune et arc-en-ciel, du monde cycliste.

Lors de l'épreuve de vitesse, alors qu'il était confronté
à Fausto Coppi, il lui infligea une séance de surplace,
une de ces pénibles séances qui tendent les muscles et
les nerfs jusqu'à ce que l'un des deux coureurs craque et
se décide à entraîner l'autre dans sa roue vers une victoire presque certaine. Pour réaliser ce chef-d'œuvre de
patience musculaire, Rivière était venu se replacer juste
devant sa maman, devant moi. Elle le toucha brièvement
sur le maillot. Moi, pas.

Anquetil se tenait en réserve pour l'épreuve de poursuite. Lorsque son tour arriva, il fit merveille. Dans mon
souvenir, son image est éblouissante de clarté, il brille
de toute sa pâleur et son accélération décisive me fait
encore mal aux cuisses, comme elle fit mal à celles du
grand Fausto Coppi qu'il poursuivait et qu'il faillit rattraper, humiliation suprême, avant la fin de l'épreuve. Il
gagna aussi en deux manches sèches la course de vitesse
contre Faggin, ce qui permit à la France de l'emporter
haut le pied sur l'Italie.

Cette réunion est restée si fort gravée dans ma mémoire
de petit garçon que j'en ai mille fois parlé avec mon père,
que je l'ai racontée cent fois à mes copains et que j'en ai

147

même composé, trente ans plus tard, une nouvelle dans mon recueil *Les Athlètes dans leur tête*.

Aujourd'hui que j'écris ces lignes, plus de cinquante ans après les faits, j'éprouve le besoin de fixer un peu les choses, de glaner une anecdote, un incident de course qui m'aurait échappé. Je me rends aux archives de la ville de Saint-Étienne pour consulter les journaux de l'époque. Il neige. L'hôtesse me dit que j'ai bien du courage. Je suis seul dans la grande salle de lecture silencieuse. On m'apporte *La Tribune* et *Le Progrès*, que j'ai demandés.

La grande reliure craque, une bouffée de parfum de papier s'en échappe. Les pages sont jaunies, un peu raidies, les photos sont mal définies. Peut-être vais-je retrouver là une image de moi, minuscule aux côtés de Mme Rivière, peut-être un portrait d'Anquetil en vainqueur. Je regarde les pages du jour, les pages de la veille, les pages du lendemain, l'événement est partout relaté dans un grand luxe de détails, mais les deux quotidiens sont formels : Anquetil n'y était pas.

Il y avait bien un omnium France-Italie le dimanche 12 octobre 1958, mais avec, côté français, Darrigade et Gaignard pour épauler Roger Rivière… Je reste incrédule : une nouvelle vérification me convainc que, le jour même de cette réunion, Jacques Anquetil ne pouvait pas être présent à Saint-Étienne puisqu'il battait l'immense Gérard Saint au Grand Prix de Lugano !

J'ai donc vu rouler un fantôme, à fond les manettes, beau

comme une Caravelle, et je l'ai admiré. J'avais un athlète dans ma tête. L'image d'Anquetil sur la piste en érable du vel'd'Hiv' de Saint-Étienne m'a accompagné pendant plus de cinquante ans, elle a fondé ma «passion Anquetil», et ce n'était qu'une image. Dans le baril de son torse, dans les muscles terribles de ses jambes et de son dos, Anquetil cachait ainsi un peu de la fibre dont sont tissés mes rêves. Peut-être son grand secret était-il, en fin de compte, de se trouver partout où il n'était pas.

Du même auteur

Clés pour la littérature potentielle
Denoël, 1972

L'Équilatère
Gallimard, 1972

L'Histoire véritable de Guignol
*Fédérop-Slatkine, 1975
et Slatkine, 1981*

Les petites filles respirent le même air que nous
nouvelles
*Gallimard, « Le Chemin », 1978
et « Folio », n° 2546*

La Reine de la Cour
Gallimard Jeunesse, 1979

Le Goûter et la Petite Fille qui ne mange pas
*(avec Jean-Pierre Enard, illustrations de Carlo Wieland)
Slatkine, 1981*

Les Aventures très douces de Timothée le rêveur
*(illustrations de Grégoire Mabille)
Le Livre de Poche Jeunesse, 1982, n° 197*

Les Grosses Rêveuses
*Seuil, 1982
et « Points », n° P557*

Un rocker de trop
(illustrations de Roméo)
Balland, 1983
Gallimard Jeunesse, « Folio Junior », 1986, n° 348
et Joëlle Losfeld, 2004

Brèves n° 20
Atelier du Gué, 1985

Superchat contre Vilmatou
(illustrations d'Alexandra Poulot)
Nathan, 1987

Superchat et les Karatéchats
(illustrations d'Alexandra Poulot)
Nathan, 1987

Superchat et les Chats pitres
(illustrations d'Alexandra Poulot)
Nathan, 1987, rééd. 1989

Les Athlètes dans leur tête
nouvelles
prix Goncourt de la nouvelle 1989
Ramsay, 1988
et « Points », n° P558

Oulipo. La littérature potentielle
(en collaboration)
Gallimard, « Folio Essais », 1988

Oulipo. Atlas de la littérature potentielle
(en collaboration)
Gallimard, « Folio Essais », 1988

Les Marionnettes
(dirigé par Paul Fournel, préface d'Antoine Vitez)
Bordas, « Bordas-spectacle », 1988, 1995

Un homme regarde une femme
roman
Seuil, 1994
et « Points », n° P125

Pierrot grandit
(avec Paul Klee)
Calmann-Lévy / Réunion des musées nationaux, 1994

Îles flottantes : l'art, c'est délicieux
(avec Boris Tissot)
Éditions du Laquet, 1994

Pac de Cro, détective
(illustrations de Claude Lapointe)
Le Verger éditeur, 1995
et Seuil, « Point-Virgule », n° V178

Guignol, les Mourguet
album
Seuil, 1995
nouvelle édition
Éditions lyonnaises d'art et d'histoire, 2008

Le jour que je suis grand
Gallimard, 1995

Toi qui connais du monde
poésie
Mercure de France, 1997

De mémoire de Babar
(illustrations de Jean de Brunhoff, Laurent de Brunhoff)
Hachette Jeunesse, 1998

Alphabet gourmand
(en collaboration avec Harry Mathews,
illustrations de Boris Tissot)
Seuil Jeunesse, 1998

Foraine
prix Renaudot des lycéens 1999
Seuil, 1999
et « Points », n° P1092

Besoin de vélo
essai
Seuil, 2001
et « Points », n° P1015

Timothée dans l'arbre
(illustrations d'Emmanuel Pierre)
Seuil Jeunesse, 2003

Poils de cairote
Seuil, 2004
et « Points », n° P1656

À la ville comme à la campagne
(deux vocations ratées)
Après la lune, « La maîtresse en maillot de bain », 2006
réédité avec des textes de Yasmina Khadra, Dominique
Sylvain, Marc Villard
sous le titre La Maîtresse en maillot de bain
« Points », n° P1911

Chamboula
Seuil, 2007
et « Points », n° P2852

Les Animaux d'amour
et autres sardinosaures
(illustrations d'Henri Cueco)
Le Castor Astral, « Les Mythographes », 2007

Les Mains dans le ventre
suivi de Foyer jardin
Actes Sud, « Actes Sud-Papiers », 2008

Méli-Vélo.
Abécédaire amoureux du vélo
Seuil, 2008
et « Points », n° P2178

Courbatures
Seuil, 2009

La Liseuse
P.O.L., 2012

RÉALISATION : PAO ÉDITIONS DU SEUIL
IMPRESSION : CORLET À CONDÉ-SUR-NOIREAU
DÉPÔT LÉGAL : JUIN 2012. N° 103672 (146671)
IMPRIMÉ EN FRANCE